APPLAUS
voor mijn broertje

Gerry Velema

APPLAUS
voor mijn broertje

Met illustraties van
Jaap van Dijk

Callenbach

Tweede druk, 2007

© Uitgeverij Callenbach – Kampen, 1999
Postbus 5018, 8260 GA Kampen
www.kok.nl

Omslagillustratie Bas Mazur
Omslagontwerp Bas Mazur
Illustraties binnenwerk Jaap van Dijk
Layout/dtp Gerard de Groot
ISBN 978 90 266 1001 1
NUR 283/284
Leeftijd vanaf 10 jaar

HOOFDSTUK 1

Mamma staat aan de telefoon als ik thuiskom uit school.
'Wilt u vanavond nog langskomen? Nee, dat wil ik liever
even overleggen met mijn man. Maar heeft het dan zo'n haast? U
maakt me wel ongerust. Ja, dat begrijp ik...'
Mamma vindt het niet prettig als ik meeluister, wanneer ze telefo-
neert. Iets waarschuwt me om dat vooral ook deze keer niet te
doen. Mamma heeft me nauwelijks zien binnenkomen. Ze staat
met de rug naar me toe. In gedachten rukt ze dode blaadjes van
een plant af, die op de vensterbank staat. Ze heeft een korte
broek aan en loopt op blote voeten. In haar hals zie ik bekende
rode vlekken. Die komen altijd tevoorschijn als mamma zich
ergert of opwindt.
Ik luister maar niet langer. Eerst maar eens zien of de thee al
klaarstaat. Na de thee wil ik samen met Lotte iets leuks gaan
doen.

Mamma ziet me nu zoeken. Ze wijst naar de tuin. Misschien wil
ze dat ik de kamer uitga? Of betekent het dat de thee buiten staat?
Ik loop door de openstaande schuifdeur onze tuin in. Het is mooi
weer. Het is nog steeds zomer, hoewel het al bijna september is.
Iedereen praat erover, zo warm is het. Achter in de tuin heeft
mamma een paar stoelen neergezet. Op haar eigen ligstoel zie ik
een opengeslagen boek. Ze zat zeker te lezen voordat de telefoon
ging. De thee staat inderdaad klaar. Terwijl ik voor mezelf een
kop inschenk, komt mamma eraan.

'Wie was er aan de telefoon?' vraag ik.
'De juf van Dennis,' zegt mamma met een zucht. 'Ze wil vanavond nog langskomen. Trouwens, waar is Dennis? Hij is toch

wel met je meegekomen uit school?'
Ik haal mijn schouders op.
'Hij stond weer eens niet bij het hek.'
'En daarom ben je maar alleen naar huis gekomen?' vraagt mamma.
'Ik heb geen zin om iedere keer uren op hem te staan wachten. Als hij met me mee wil, moet hij zorgen dat hij bij het hek staat en anders maar niet,' antwoord ik niet erg handig.
'Cathy!' zegt mamma boos. 'Niet jíj bepaalt de spelregels, maar wíj. Je weet heel goed dat ik niet wil dat Dennis alleen naar huis komt. Dat kán hij nog niet, Cathy. Dennis loopt in zeven sloten tegelijk. Hoe vaak moet ik dat nu nog zeggen.'
Ik zwijg en drink met een boos gezicht mijn thee op. Dit hoor ik bijna elke dag. Vooral sinds pappa en mamma zijn gaan praten met een meneer van de Riagg. Vroeger was het juist Dennis die vaak op z'n kop kreeg van pappa en mamma. Maar de laatste tijd krijg ik vaker op mijn kop en doen ze zo anders, zoveel liever tegen Dennis.
'Vooruit, drink je thee op en ga dan gauw Dennis zoeken. Wie weet wat ons anders weer boven het hoofd hangt.'

Ik vind het overdreven. Vorige week kwam Dennis een keer een kwartiertje later thuis dan ik. Toen was er toch ook niets gebeurd?
'Mamma! Hij is al bijna negen! Dennis weet ons huis heus wel te vinden.'
'Daar gaat het niet om, Cathy. Moet ik je herinneren aan wat er allemaal de laatste tijd, onderweg naar huis, gebeurd is?' vraagt mamma.
Ik ken die waslijst uit mijn hoofd, dus schud ik van nee. Dennis heeft een meisje van haar fiets geduwd, een poes vastgebonden aan een boom, een jongen uit mijn klas een bloedneus geslagen, een broodtrommeltje vernield, een bal lek geprikt...
'Toch ken ik niemand op school die zo op zijn jongere broertje of zusje moet passen als ik. Niemand! Bah, waarom moet ik nu

weer... Ik wilde ook nog zo graag naar...'
'Dat had je bij het hek van school moeten bedenken,' houdt mamma vol.

Ik pruttel nog wat tegen, maar het helpt vanmiddag niet. Mamma is gespannen. Ze zal niet aanbieden Dennis zelf te gaan zoeken. Nee, dit is geen geschikt moment om te zeuren. Ik hoor het in haar verwijt:
'Je weet best dat Dennis niet te vergelijken is met andere kinderen. Daarom moet hij van mij met jou meekomen. Je zegt het maar, Cathy...' Nu staat mamma op. Ze kijkt me akelig streng aan. 'Als ik voor zoiets kleins als even je broertje uit school meenemen, nog niet op je kan rekenen, dan zeg je het maar. Dan haal ik hem zelf wel uit school.'
Wat zou ik nu graag willen roepen: 'Nou graag! Haal dat rotjoch zelf maar op. Ga zelf maar bij het hek staan wachten en wachten. Het is mijn kind toch niet. Dan kan ik tenminste mijn eigen gang gaan. Ik ga echt veel liever naar de bieb dan achter Dennis aan.'
Ik zeg het niet. Als ik mijn thee op heb, sta ik op om Dennis te gaan zoeken. Mamma gaat weer zitten. Ze pakt haar boek op. Maar ik weet dat ze niet zal lezen. Ze piekert en dat heeft vast te maken met dat telefoontje van school.

Met een donker gezicht haal ik mijn fiets uit de garage. Juist op dat moment zie ik Lotte. 'Hé Cathy, ga je met me mee naar de bibliotheek? Ik moet nog informatie hebben over India. Je weet wel, voor het werkstuk.'
Lotte is mijn vriendin. We zitten bij elkaar in de klas. Dit is het laatste jaar van de basisschool. Lotte woont vlak bij me, maar een klein stukje verderop in onze straat. Tante Henneke en nog een paar gezinnen wonen tussen ons in. Ik heb geen antwoord gegeven, maar kom naast Lotte fietsen. Het eerste stuk kunnen we wel samen fietsen.
'Heb jij je werkstuk al klaar?' vraagt Lotte belangstellend.

'Ik ben er nog niet eens aan begonnen,' antwoord ik somber.
'Joh, maar we moeten het al over een week inleveren.' Dat is het grote verschil tussen Lotte en mij. Lotte is heel precies in haar huiswerk. Alles doet ze keurig op tijd. Haar werk ziet er netjes en verzorgd uit. Lotte haalt ook vaak mooiere cijfers. Ik ben daar best jaloers op. Lotte is gewoon knapper dan ik.
'Ik heb ook nog geen onderwerp.'
'Nu nóg niet!' roept Lotte uit. 'Dat ziet er niet best uit. Waarom vraag je Hen niet om een onderwerp? Zij heeft mij ook op gang geholpen. Weet je trouwens dat tante Henneke ook een paar jaar in India heeft gewoond? Dat heeft ze me verteld. Toen kon ze nog goed lopen. Ze heeft er zelfs gewerkt. Tante Henneke vroeg of ik haar dia's over India zou willen zien. Zullen we dat een keertje samen doen? Daar heb ik echt zin in.'

Lotte kan heerlijk kletsen en plannen maken. Dat komt me nu goed uit, want ik heb zelf maar weinig te vertellen.
'Hoor je het Hen al zeggen: Dáár maken we een gezellig moment van!' Lotte imiteert precies de stem van mijn buurvrouw. Ik lach een beetje, maar niet te veel.
Tante Henneke is van ons allebei. Ze is geen echte tante van ons, maar we noemen haar zo. We mogen ook wel Hen zeggen, maar beslist geen Haan. Een vrouw moet trots zijn dat ze een vrouw is. Pappa zegt dat tante Henneke een feministe is. Dat kan best zo zijn, maar ik vind haar gewoon een leuk mens. De leukste uit onze straat, als je het mij vraagt!

Ik ben te boos om aardig op Lottes voorstel te kunnen reageren.
'Ik moet Dennis zien te vinden!' is mijn enige commentaar.
'Alweer?' zucht Lotte. 'Dus je gaat niet mee naar de bieb?' Lotte is duidelijk teleurgesteld. Logisch, want op school hadden we afgesproken dat we samen iets zouden gaan doen. Dat kan nu niet.
'Nee, ik fiets eerst terug naar school. Misschien is hij op het schoolplein gebleven. Ik hoop het maar, want anders kan ik lang zoeken.'

'Cathy?' Lottes hand komt even op mijn arm. 'Je gaat toch wel mee, hè?'

'Waarheen?' Ik begrijp haar niet eens.

'Naar tante Henneke natuurlijk! Dia's kijken. Ik vind het veel leuker als jij er ook bij bent.'

Ze wil me troosten met dat plannetje van haar. Mijn boosheid zakt een beetje af. Lotte, ze is een échte vriendin. Ik moet wel 'ja!' zeggen. Daar wacht ze gewoon op. Ik knik aarzelend, maar voor Lotte is het al voldoende.

'Je bent een schat, Cathy! Zeg, ik hoop dat je Dennis gauw vindt. Denk je dat je straks, na het eten, nog op het veld komt?'

'Ik zie wel,' antwoord ik vaag. Lotte herinnert me eraan dat er vanavond nog geoefend moet worden voor het stratenvolleybal en daarna zullen we met alle vrijwilligers iets gaan drinken bij de familie Wolters thuis. Dan zal de vader van Lotte de samenstelling van het team voor dit jaar bekendmaken.

'Jij wil toch ook graag meedoen? Dan moet je wel komen.'

'Maar mijn werkstuk moet ook af. Ik ga toch liever vanavond eerst langs Hen. Als ik dan nog tijd over heb...' aarzel ik.

'Ach, joh... Als je er niet bent, verzin ik wel een smoes voor je. We hebben allebei kans dat we deze keer als reservespelers worden ingedeeld. Als er dan iemand een keertje niet kan, worden wij wisselspeler. Hoe vind je dat?'

'Weet je dat wel zeker?' vraag ik onzeker.

'Gerben heeft het me zelf verteld.'

Dan vergeet ik even Dennis en mijn boosheid. Meedoen aan het stratenvolleybal? Ik word helemaal aangestoken door Lottes enthousiasme.

'Maar wij... wij zijn immers de jongsten?' hakkel ik verbaasd. 'Denk je echt dat we al zo goed mee kunnen spelen met de anderen?'

'Gerben zegt van wel en hij kan het weten. Hij is trainer!'

'Oh, Lotte, wat spannend! Ik moet het weten. Anders doe ik vanavond geen oog dicht. Weet je wat? Ik probeer gewoon na tante Henneke nog even bij jullie langs te gaan. Als het laat is, kom ik

niet meer binnen, maar dan hoor ik in ieder geval de uitslag.'
'Een prima idee, Cathy. Tot vanavond dan en ik doe een goed
woordje voor ons tweeën. Misschien helpt het.'
'Zet 'm op, Lotte!'
We zijn bij de kruising aangekomen. Nu moet Lotte een andere
kant op dan ik. Haar hand zwaait de lucht al in. Ze lacht en ik
lach terug. Er kriebelt iets in me, want toevallig is volleybal mijn
lust en mijn leven.
'Doei, Cate, en morgen haal ik jou op!'

Onze straat heeft vorig jaar de tweede prijs gewonnen met stratenvolleybal. Met één klein puntje verschil werden we tweede.
Het was een waanzinnig spannende slotwedstrijd. Nu gaan we
natuurlijk voor de eerste prijs. We zaten er zo dichtbij. Stratenvolleybal is ieder jaar een leuke gebeurtenis in het dorp. Het eerste weekend van september worden er op het grote veld achter
onze straat wedstrijden gehouden. Er doen heel wat straten aan
mee. De vader van Lotte zit in het comité dat alles organiseert.
Lottes familie is compleet volleybalgek. Ze spelen allemaal.
Vroeger speelde Lottes moeder mee in het beste vrouwenteam uit
onze provincie.
Lotte is de jongste van het gezin. Haar oudste zus Ellen woont niet
meer thuis, maar op kamers. Ze heeft nog twee broers: Han en
Gerben. Gerben is één jaar ouder dan mijn broer Marc. Lotte en ik
hebben altijd veel met Gerben gespeeld. Hij vond het leuk om
Lotte en mij volleybal te leren: de opslag, elkaar de bal aanspelen,
blokken bij het net. Het was nooit vervelend om samen met
Gerben te oefenen en Gerben zat er nooit mee dat wij zoveel jonger waren dan hij. Zo is Marc beslist niet. Ik speel nooit met Marc.

Elke zomer spant de vader van Lotte een volleybalnet achter op
het veld. Bijna iedere avond wordt daar gespeeld door kinderen
en volwassenen. Lotte en ik zijn wat gymnastiek betreft echte stun-
telaars, maar met volleybal blinken we uit in de klas. Dat hebben

we natuurlijk aan Gerben te danken. Lotte en ik kunnen zelfs met de volwassenen meespelen. En misschien dat we zelfs dit jaar mee mogen doen met de wedstrijden. Ik vind samen met de bal spelen veel spannender en leuker dan het in touwen hangen of in wandrekken klimmen of over kasten en bokken springen.

De hele tijd kijk ik al uit naar iets roods: de zomerjas van Dennis. Het is gelukkig niet zo ver naar school. Er zijn twee mogelijkheden. Ik kies voor de langste weg langs het hertenkampje. Ik let vooral op de bosjes langs het wandelpad. Links van het hertenkampje is een groot speelveld met een klimtoestel. Daar zijn geen kinderen. Als Dennis zijn jas op school vergeten heeft, dan moet ik letten op iets blauws: zijn T-shirt.
Achter het kampje zie ik kinderen staan. Zijn er bekende kinderen bij van school? Ik fiets wat langzamer. Misschien moet ik er even heen fietsen. Het zou kunnen dat Dennis daar ook bij is.

Als ik dichterbij kom, zie ik een man tussen de kinderen in staan. Hij lijkt verschrikkelijk boos. Precies voor hem staat iets blauws. Dennis dus! Zonder zomerjas, die is op school blijven liggen.
Nu wil ik het liefst meteen naar hem toe, hem achter op mijn fiets zetten en hem onmiddellijk thuisbrengen. Maar als ik dichterbij kom, aarzel ik. Er is iets bijzonders aan de hand en Dennis staat weer eens vooraan. Ik stap af en zet mijn fiets op de standaard. Eerst maar even op een veilige afstand toekijken. Je weet maar nooit.
Ik zie de brutaal opgeheven snoet van Dennis. Hij lijkt niet onder de indruk van de boze man. De andere kinderen, inclusief de grote jongens uit mijn klas, staan allemaal achter Dennis. Zo gaat het altijd. Op de één of andere manier raakt Dennis altijd bij dit soort toestanden betrokken. Als er iets vervelends gebeurt op school, is Dennis er negen van de tien keer ook bij. Wat is er nu weer aan de hand?

Ik zie hoe de brutaliteit van Dennis de bejaarde man kwaad maakt. Hij wijst driftig met zijn stok naar de herten. Achter het gaas zie ik de reden van zijn boosheid: daar ligt een plasticzak. De geiten komen als eerste erop af en trekken het plastic kapot om bij het brood te kunnen komen. Plastic is gevaarlijk voor dieren. Dat wil de man de kinderen uitleggen. Ik begrijp het allang, maar Dennis kan het allemaal niets schelen. Hij lacht de opgewonden man gewoon uit. Hier kan ik niet tegen. Ik schaam me rot. Moet ik mamma halen?

Op het moment dat ik me wil omdraaien om mijn fiets te pakken, zie ik hoe de man Dennis bij zijn arm grijpt. Niet zachtjes, maar echt stevig. Hij sleurt mijn broertje achter zich aan. Mijn hart begint te bonzen. De man brengt Dennis dichter bij het hek. Daar probeert hij met zijn stok de geiten weg te jagen van het plastic. Het lukt hem bijna niet om met één hand de onwillige Dennis in bedwang te houden én met de andere hand de geiten weg te jagen.

Ineens heeft Dennis er genoeg van. Ik zie hoe hij probeert los te komen uit de greep van de man. Zijn lenige lijf draait alle kanten op. De man laat zijn stok op de grond vallen. Hij heeft nu beide handen nodig om Dennis vast te houden. Dennis lijkt te vechten met een vreemde meneer. Wat vind ik dit erg. Ik zal er nooit aan wennen dat juist mijn broertje in zulke situaties de hoofdrol speelt. Dan zie ik hoe Dennis zonder aarzelen de man een flinke trap tegen zijn scheenbeen geeft. Dat heeft effect. De oude man laat Dennis met een kreet los en buigt zich voorover naar zijn pijnlijke been.

Dennis rent weg, juichend, als een winnaar. De andere kinderen rennen met hem mee. Op afstand roept hij nog lelijke dingen. De anderen jouwen even hard mee... Helden, durven ze wel?

Ik wil nog maar één ding: hier weg. Toch kan ik me niet bewegen. Het is net alsof ik op slot zit. Vol afschuw kijk ik naar die oude man. Voorzichtig komt hij overeind. Hij veegt met zijn hand

over zijn voorhoofd. Ik zie hem kijken naar de wegrennende kinderen. Het lijkt alsof hij niet goed weet wat hij moet doen. Dan kijkt hij ineens mijn kant op. Mijn adem stokt. Hij wenkt mij. Hij wil dat ik naar hem toe kom. Help, wat moet ik nu? Heeft hij misschien pijn of kan hij niet meer bij zijn wandelstok komen? Wat moet ik doen? Moet ik in mijn eentje naar hem toe gaan? Maar als hij dan nog steeds boos is? Of stel dat hij weet dat Dennis mijn broertje is?

Het 'slot' springt open: ik moet hier weg! Vlug draai ik me om, pak mijn fiets en race weg.

HOOFDSTUK 2

N a het eten ga ik even naar tante Henneke. Ik heb haar juist gebeld of het goed uitkwam. Die tante Henneke, ze is altijd blij met een bezoekje. Ze is zelfs blij met mij! Ik hoorde weer haar bekende: 'Dáár maken we een gezellig moment van!' Dat is een echte Henneke-uitdrukking. Ik weet bijna zeker dat ik vanavond een goed onderwerp krijg voor mijn werkstuk. Zoiets kan je het beste aan haar vragen. Waarom heb ik daar niet eerder aan gedacht? Tante Henneke denkt echt met je mee. Het liefste zou ze zelf het werkstuk maken.

'Zulke leuke dingen als jullie tegenwoordig op school doen, deden wij vroeger niet,' zei ze laatst tegen Lotte en mij. Leuke dingen noemt ze dat. Wij moeten dit jaar zelfs drie van die 'leuke dingen' maken. Het ergste is de spreekbeurt over je onderwerp. De laatste keer dat ik een spreekbeurt had, vorig jaar, heb ik geoefend bij tante Henneke. Lotte en ik zijn toen samen een middag bij haar geweest om 'droog te zwemmen'. Zo noemde tante Henneke dit. Eerst mocht Lotte haar spreekbeurt houden en luisterden Hen en ik. Daarna was het mijn beurt. En tante Henneke applaudisseerde voor ons allebei. Het gaf mij zeker een beetje steun voor de echte spreekbeurt in de klas. Die week lag er ook zomaar een stapel knipsels en plaatjes voor ons allebei klaar. Ze had van alles uitgeknipt dat paste bij ons werkstuk. Ik heb er echt zin in om vanavond een poosje naar haar toe te gaan.

Vanmiddag kwam ik helemaal buiten adem thuis. Hoewel ik flink had doorgefietst, was Dennis toch sneller thuis dan ik. Hij zat al braaf bij mamma in de tuin. Toen ik de tuin inliep, hoorde ik hem druk vertellen waarom hij niet bij het hek gestaan had: helemaal vergeten. Zijn stoel stond geen ogenblik stil. Terwijl Dennis mamma vertelde dat hij uit school met Erik was meegegaan, probeerde hij alle standen van de tuinstoel uit. Maar mamma zei deze keer niet: 'Zit nu eens stil, Dennis!'

Hij was dus met Erik meegegaan. De moeder van Erik had de jongens een zak oud brood gegeven om de herten te voeren. Dennis had geen moment aan de afspraak met mij gedacht, tot hij mij had gezien bij het hertenkampje. Toen was hij direct naar huis gehold, bang dat ik hem op zijn kop geven zou. Het speet hem zo dat hij mij vergeten was. Hij zou echt zorgen dat het niet weer gebeurde.

Mamma gaf Dennis een koekje. Ze was allang blij dat alles goed was afgelopen. Maar aan mij vroeg ze niets. Ik keek Dennis aan. Het was zo'n vreemd moment. Net alsof we allebei niet meer precies wisten wat er gebeurd was. Ik keek naar de bomen achter in onze tuin. Groene bomen die afstaken tegen de blauwe lucht. Toen wist ik het weer zeker: dit was de helft. Dennis had maar de helft verteld van wat er allemaal gebeurd was.

Ik keek weer naar mamma. Mamma was zo opgelucht. Ze geloofde Dennis' verhaal en zijn belofte om beter aan onze afspraak te denken. Omdat ze mij niets vroeg, ben ik maar naar binnen gelopen. Ik kon gewoon niet blijven zitten en niets zeggen. Het verhaal van Dennis klopte niet, dat was het enige wat ik zeker wist. Terwijl ik wegliep hoorde ik hoe mamma een grapje maakte met Dennis. Ze lachten samen. Het was een rotmiddag...

Op mijn kamer deed ik de radio aan. Rik, mijn hamster schooide om aandacht. Het beestje liep ongeduldig heen en weer langs de opening van de kooi. Het stond eigenwijs op twee pootjes te kijken waar ik bleef. Ik haalde Rik uit zijn kooi en ging op het bed zitten. Het vaste ritueel met mijn kleine vriend begon. Rik zocht de opening van de mouw van mijn blouse en klom naar boven. Ik liet hem gaan. Dromerig keek ik voor mij uit. In gedachten zag ik die oude meneer. Hoe zou het met hem afgelopen zijn? Had ik toch naar hem toe moeten gaan? Had ik alles aan mamma moeten vertellen? Wat was het moeilijk om de juiste beslissingen te nemen.

Als mamma alles wist... Ze zou vast boos worden op mij, want ik ging natuurlijk niet vrijuit. Als ik niet in mijn eentje naar huis gegaan was, als ik gewoon bij het hek op Dennis had gewacht, hoelang dan ook, dan was dit rotte vanmiddag niet gebeurd. In gedachten hoorde ik mamma's stem: 'Als ik bij zoiets kleins nog niet op je kan rekenen, Cathy...' Zoiets kleins! Nou ja, dat ze dat 'iets kleins' vond: iedere dag je jongere broertje mee uit school nemen. Er prikten tranen achter mijn ogen. Was het dan echt zo kinderachtig van me dat ik niet wilde wachten op Dennis? Rik zat nu boven op mijn schouder. Ik plukte hem eraf en maakte een holletje met mijn twee handen. Zijn zwarte kraaloogjes keken me nieuwsgierig aan. Maar zijn kopje werd wazig voor me. Ik zag hem bijna niet meer. Ik voelde wel hoe zijn neusje rook aan het nat op mijn gezicht. Wat zouden pappa en mamma doen, als ze wisten hoe het ook deze keer weer uit de hand gelopen was met Dennis? Ik stond op, knuffelde mijn hamster nog één keer en deed Rik toen terug in zijn kooitje.

Misschien ging het telefoontje van juf Bonnema wel over vrijdag. Toen is de moeder van Chantal na schooltijd bij juf Bonnema geweest. Ik heb wel een kwartier staan wachten bij het hek. Later kwamen ze samen met Dennis de school uit. Lotte was eerst bij me gebleven, maar toen het te lang duurde, was ze toch vooruit gefietst. Ze had een afspraak met haar zus. Ze zou direct uit school naar Groningen gaan. Lotte mocht het afgelopen weekend een nachtje bij Ellen slapen. Eerst gingen ze lekker samen de stad in en daarna zouden ze een bioscoopje pikken. De bofferd!
Maar ik moest die middag wachten op Dennis. Ik wist dat er iets bijzonders aan de hand was, want juf Bonnema had op de gang tegen me gezegd dat Dennis even moest nablijven. Chantal zit bij Dennis in de klas. De moeder van Chantal kwam klagen over Dennis. Dennis heeft me dat zelf verteld toen we terugfietsten. Het erge was dat hij er gewoon om moest lachen.
Dennis noemde Chantal altijd 'mankepootje'. Chantal heeft iets

aan haar voet. Ze loopt op een speciale schoen. Je ziet het bijna niet. Het is een lief meisje. Alleen kan ze niet tegen pesten. Het is natuurlijk gemeen dat Dennis haar 'mankepootje' noemt. Hij weet precies wie hij kan pesten en wie niet.

Ik heb Dennis' getreiter zelf ook wel eens gehoord. Chantal was aan het knikkeren op het schoolplein toen Dennis erbij ging staan om Chantal zogenaamd aan te moedigen: 'Hup, mankepootje! Je wint dit potje vast wel.'

Na een paar keer was Chantal huilend naar binnen gelopen. Even later kwam de pleinwacht Dennis zoeken, maar mijn broertje was onvindbaar tot de bel ging. Ik begrijp niet dat Dennis het leuk vindt zo'n meisje te plagen. Ze kan er toch niets aan doen dat ze zo'n voet heeft. Dennis is vaak genoeg gewaarschuwd door de juf of door een meester, maar dat helpt weinig. Dennis lijkt in dit soort dingen niet te stoppen.

Daarom was de moeder van Chantal nu zelf naar school gekomen om over dit gepest te praten met juf Bonnema en met Dennis.

Later heeft Dennis het ook aan pappa en mamma verteld. Hij vertelde hun dat hij moest nablijven bij juf Bonnema. Pappa en mamma vonden het natuurlijk ook niet leuk van Dennis dat hij Chantal uitschold. Maar Dennis zei: 'Ach, ik heb het misschien maar een paar keer tegen haar gezegd. Die Chantal overdrijft, niet normaal meer.' Pappa probeerde Dennis duidelijk te maken dat hij juist tegen Chantal niet zulke dingen moest zeggen, omdat Chantal iets aan haar voet heeft. Maar Dennis riep alweer: 'Het is toch niet menens! Kan dat kind dan niet eens tegen een grapje?'

Toen zei mamma dat je geen grapjes moet maken over dingen die mensen pijn of verdriet doen. Dat het voor Chantal niet leuk is om een speciale schoen te moeten dragen.

'Nou, ik zou me daar niets van aantrekken,' vond Dennis. Hij vond het maar kinderachtig van Chantal om daar zo mee te zitten. Toen pappa en mamma niets meer zeiden, ging Dennis nog even door: 'En ik vind het bovendien stom dat ze zoiets tegen haar moeder zegt, en dat die dan naar de juf toe gaat om te zeuren over mij. Wat een klein kind is die Chantal toch. Ik kan haar beter "baby" noemen.'

'Ze heet gewoon Chantal, Dennis!' zei pappa nog.

Ik vond het een vreemd gesprek. Pappa en mamma leken helemaal niet boos op Dennis en merkten niet dat Dennis niet eens luisterde naar wat ze zeiden. Tenminste, zo leek het. Toen Dennis even later vertelde dat hij Chantal vaak hielp met rekenen, gaf mamma Dennis zelfs een complimentje.

'Maar dát vertelt die "baby" niet aan haar moeder,' klaagde Dennis op zijn beurt. 'En toch is het altijd hetzelfde liedje,' – Dennis imiteerde de stem van Chantal – 'Dennisj, ik sjnap die ssjom niet...' Daar moesten pappa en mamma zelfs om lachen. Nou ja, wie begreep er nu nog iets van? Ik in ieder geval niet!

Ik zit op bed als ik mamma hoor roepen: 'Het eten is klaar.' Marc, mijn oudste broer rent de trap af. Marc is de grootste computergek die ik ken. Alleen voor het eten komt hij beneden. Altijd is hij bezig met computers en met vrienden die, volgens mij, dezelfde tic hebben. Ik vind het wel knap dat Marc zoveel weet over zijn computer. Marc rent me voorbij zonder me te zien. O nee, niet nu! Ik zie hem regelrecht op Dennis afstuiven, die ook naar de eettafel toekomt. Marc grijpt Dennis stevig vast.

'Jij bent op mijn kamer geweest?'

Dennis reageert met een flauw lachje. Dat werkt als een rode lap op een stier. De vuist van mijn broer gaat al dreigend omhoog.

'Nou, zeg op. Die ene floppy met het voetbalspel is weg... Heb jij die soms gehad?'

'Gaan jullie eerst even zitten,' zegt pappa, terwijl hij de arm van Marc naar beneden duwt. 'We moeten aan tafel komen, want mamma heeft geroepen.'

'Pap, ik weet zeker dat Dennis aan mijn spullen heeft gezeten,' houdt Marc aan.

'Zitten! We gaan eerst eten,' commandeert pappa. Hij schuift zelf zijn stoel aan en kijkt Marc streng aan. Pappa is zeker moe thuisgekomen.

Ook Dennis gaat aan tafel. Hoe kient hij het uit om precies tegenover Marc te gaan zitten. Dat doet hij expres. Hoewel het niet mag van pappa en mamma, kijkt Dennis in elke pan en geeft alvast zijn commentaar op het eten.

'Rijst... bah.'

'Zitten, Dennis!' zegt pappa nog een keertje.

'En van die pannen afblijven!' zegt mamma, terwijl ze ook gaat zitten.

Dennis wipt ongeduldig op zijn stoel heen en weer. Marc kijkt donker. Als Dennis hem klierderig aankijkt, barst Marc weer los.

'Je hebt 'm gepakt, Dennis! Ik zie het aan je ogen. Waar heb je die floppy gelaten?'

Marc is ontzettend kwaad. Normaal bemoeit Marc zich niet met Dennis of mij. Maar we moeten niet aan zijn spullen komen. Als er iets is wat Marc kwaad maakt, dan is het dat we ongevraagd aan spullen van hem zitten. Marcs kamer ziet er altijd heel netjes uit. Hij is zuinig op zijn computer. En het is ook niet de eerste keer dat er iets kapot gemaakt is door Dennis. Vorige maand was het huis nog te klein. Toen had Dennis stiekem op de computer gespeeld en een spel verkeerd weggezet. Daardoor was het spel onbruikbaar geworden. Wat was Marc toen kwaad op Dennis.

Ik kijk even naar mijn jongere broertje. Haalde Dennis nu maar die onmogelijke grijns van zijn gezicht. Daar wordt Marc dol van! Pappa vraagt een moment stilte voor het eten. Ik merk nog net hoe Marc dat moment gebruikt om Dennis een flinke trap onder de tafel te geven. Zo gaat dat bij Marc. Hij verspilt geen woorden aan Dennis. Dennis moet maar voelen dat zijn pestgedrag niet door Marc geaccepteerd wordt. Dat levert Dennis nogal eens blauwe plekken op en toch leert hij er weinig van. Ik denk dat Marc een nog grotere hekel aan Dennis heeft dan ik.

'Ik mag vanavond..,' probeer ik zodra pappa 'amen' heeft gezegd.
'Even wachten, Cathy, jij bent straks aan de beurt,' zegt mamma.
'Bonnema wil komen praten. Ik heb nog gezegd dat het me over-
viel, maar ze liet zich niet afschepen. Vanavond al. Het hoefde
geen uren te duren, zei ze. Nou ja, je weet van de vorige keer hoe
laat het toen geworden is. We zullen er wel niet onderuit kunnen.'
Mamma vertelt vader van het telefoontje van juf Bonnema. Marc
eet alsof de rest van het gezin niet bestaat. Dennis zit eindelijk stil
en kijkt af en toe naar mamma. Het gaat weer over hem. Ik wacht
ongeduldig mijn beurt af. Ik heb zoveel te vertellen. Het eten
smaakt mij ook niet. Rijst met prut. Gezond, maar niet lekker. We
zitten zo dicht bij elkaar en toch zijn we allemaal met iets anders
bezig. Ik kan net zo goed hier in mijn eentje zitten. Ze luisteren
toch niet naar me.

Af en toe vang ik iets van het gesprek op. Ineens is het even stil
tussen pappa en mamma. Ik zie opnieuw mijn kans.
'Ik ga vanavond naar tante Henneke.' Het blijft stil. Dus ga ik
door met vertellen. Van mijn spreekbeurt en dat ik misschien
ingedeeld wordt bij het team van onze straat. Dat we dat vanavond horen van meneer Wolters. En dat Gerben tegen Lotte
heeft gezegd dat hij dacht dat Lotte en ik best mee konden spelen
met de groten. En dat ik dat zo tof zou vinden...
Ze luisteren nauwelijks. Ik zie hoe mamma driftig op haar vlees
zit te kauwen. Haar kaken gaan zo op en neer. Ze kijkt mij niet
aan. Ze wacht op een reactie van pappa. Ik geloof ook niet dat
pappa mij gehoord heeft. Wanneer ik stop met praten, knikt
mamma even naar mij.
'Dat komt mooi uit. Vanavond, ja ja... Ga jij maar even naar
Henneke. Dat is prima!' En dan tegen pappa: 'Ze heeft de school-
begeleidingsdienst opnieuw ingeschakeld en wil beslist dat we
met hun orthopedagoog gaan praten.'
Ze is blij dat ik vanavond van de vloer ben. Bah!

20

'Ze zei dat het niet meer ging met Dennis in de klas,' gaat mamma door. 'Dennis stoort te veel. Bovendien moesten we, volgens Bonnema, onder ogen zien dat een kind als Dennis zelf ook beter af is binnen het speciale onderwijs. Oh Frank, ik zie er toch zo tegen op. We kunnen het vast niet meer tegenhouden. Wat moeten we straks zeggen?'

Gaat ze nog huilen ook? En dat aan tafel? Ik moet nodig naar de wc.

'Mag ik even plassen?' stoor ik.

'Cathy, dat hoor je voor het eten te doen,' zegt pappa geïrriteerd. 'En eet nu eerst eens door. Je bord is nog helemaal vol.'

Ik verschuif wat. Dennis zit ook te pieren in zijn eten. Hoe zou hij dat vinden, zo'n verhaal over een andere school?

'Waarom zou een kind met ADHD niet gewoon in de klas kunnen meedraaien?' vraagt mamma boos. 'Dat mens weet niet wat ze ons aandoet. Een speciale school? Die is er niet hier in het dorp. Dat betekent dat Dennis elke morgen met zo'n gek busje naar school moet gaan ergens in een stad in onze omgeving. Wat een verandering voor zo'n jongen.'

Pappa gebaart dat mamma ook iets moet eten, maar ze ziet het niet.

'Dat mens weet gewoon niet waar ze het over heeft. Die vaart zogenaamd op haar ervaring, maar dat werkt niet bij ADHD. Dat zei mijn moeder ook. Bovendien, op zo'n speciale school zitten toch ook vaak kinderen die daarboven iets mankeren. Moet hij daar dan tussen zitten? En hij is nog wel zo goed in rekenen.'

'Margreet,' probeert pappa, 'kunnen we er straks niet over praten? Laten we nu eerst even eten met de kinderen. We wandelen straks nog wel een stukje en dan praten we er rustig met z'n tweetjes over.'

'Jij hebt makkelijk praten. Jij bent er niet als ze belt,' haalt mamma boos uit. 'Ik word er zo nerveus van. Altijd moet ik die rottelefoontjes aannemen.'

'Ik ben er vanavond wel,' antwoordt pappa laconiek. 'We zullen eerst haar verhaal moeten horen. Misschien valt het allemaal wel mee...'

Ach pappa, hoe kan je dat nog denken? Het valt helemaal niet mee. Dat kan ik nu al wel vertellen. Ik schuif een stukje vlees uit mijn eten. Elke dag maak ik dingen mee die niet normaal zijn. Het is altijd Dennis die opvalt. Het is meestal Dennis die voor de zoveelste keer strafwerk moet maken tussen de jassen op de gang. Het is ook altijd Dennis die door de pleinwacht in de kraag gegrepen wordt tijdens de pauzes.
Steeds vaker hoor ik die vreemde term: ADHD. Mamma zegt dat het een soort handicap is, maar dan niet aan je ogen, je oren of benen, maar het is een storing in wat je doet of laat. Zoiets zei mamma. Ik vind het maar een vreemde handicap. Dennis lijkt helemaal niet gehandicapt. Hij doet alleen vaak oervervelend. Ze moeten hem gewoon beter opvoeden, als je het mij vraagt.

'Echt weer iets voor jou,' roept mamma boos. Gaan ze nu ook nog ruzie maken over Dennis?
'Je hebt toch zelf ook gehoord dat Dennis vertelde over dat pesten van Chantal? Denk je niet dat dit soort dingen vaker gebeuren?'
'Maar ik zal heus geen mankepootje meer zeggen tegen die baby,' klinkt het timide.
'Hou je mond, Dennis, en die baby heet gewoon Chantal,' valt mamma ineens scherp tegen Dennis uit. Dan wordt het stil aan tafel. Akelig stil.
Ik zie die oude man weer voor me. Hoe moet ik zulke dingen toch aan pappa en mamma vertellen?
Ik durf het bijna niet.
Laat juf Bonnema vanavond maar komen. Zij is groot en een juf. Zij durft tenminste. Juf Bonnema beleeft natuurlijk ook iedere dag van alles met hem. Je zult de juf van Dennis maar zijn...

'Hoe oud is dat mens al wel niet?' hoor ik mamma vragen. 'Veel te oud om juf te zijn. Vooral met zulke kinderen als Dennis heb je meer aan een jongere leerkracht. Die zou het ook vast anders aanpakken. In de opleiding leren ze tegenwoordig veel over ADHD. Dat wist mijn moeder te vertellen. Gerda's dochter heeft immers net de PABO gedaan. Bonnema vertrouwt op haar ervaring, maar ADHD heeft nu eenmaal niets met ervaring te maken. Het is een nieuw probleem. Ze weet er gewoon niets van.'

Dáár konden we op wachten. Nu is juf Bonnema aan de beurt! Ik word kwaad op mijn moeder. Nu ligt het aan de juf. Ik heb haar zelf gehad in groep vier. Een hele lieve juf. Boos kijk ik over de dampende pannen naar mijn moeder die niet op mij let. Wat vind ik dit gemeen. Het ligt óf aan andere kinderen, óf aan Marc en mij en nu dus aan de juf. Maar het ligt nooit aan Dennis, want Dennis is 'ziek'! Dennis met zijn stomme handicap.

Hoe oud zal die vrouw al wel niet zijn? Wat een rotopmerking!

'Laten we nu eerst even afwachten,' probeert pappa nog een keer. 'Zijn er nog toetjes, Margreet?'

Ik weet nu al hoe dat straks gaat met juf Bonnema! Die vertelt mijn ouders natuurlijk hoe druk en vervelend Dennis zich gedraagt op school. Dan gaat mamma wat stomme vragen stellen waarop de juf geen antwoord weet en dan krijgt zij de schuld van die moeilijkheden met Dennis. Ja, zo zal het wel gaan, want zo doet mamma ook met mij.

Pappa en mamma willen dat Dennis op deze school blijft. Ze vinden dat juf Bonnema zich gewoon meer moet inzetten voor een kind met ADHD, maar dat doet juf Bonnema heus wel.

Laatst moest ik in de klas van Dennis zijn. Ik bracht die dag de koffie rond. Dat is het vaste werkje van kinderen uit groep acht. Een leuk werkje, omdat je het tijdens de les mag doen. Toen ik bij juf Bonnema in de klas kwam, zat Dennis met tafel en al naast zijn juf. Hij moest de tafel van twee uit zijn hoofd leren. Ik hoorde hem hardop zijn juf herhalen op zijn bekende pesttoon 'twee keer twee is vier...'

Vlak voor hem zaten een paar kinderen om hem te lachen. Hij vond dat prachtig, dus ging hij onverstoorbaar door. Maar zijn juf schonk er helemaal geen aandacht aan. Ze bleef hem maar geduldig voorzeggen: 'acht keer twee is zestien' en Dennis maar jennerig nadoen. Op dat moment schaamde ik me zo voor Dennis. Ik heb toen een extra koekje bij het kopje van de juf neergelegd en ben snel de klas weer uitgelopen.

Mamma staat van tafel op en begint druk te stapelen. De nare gespannen sfeer blijft hangen.
'Die toetjes laten we maar zitten. Ik geloof niet dat er iemand behoorlijk heeft gegeten. Sloof ik me uit om eten op tafel te zetten en moet je zien wat er nog allemaal op de borden ligt! Cathy, jij helpt bij het afruimen', regelt mamma.
Pappa zoekt de krant en wil de tuin inlopen.
'Ik heb ook een drukke dag gehad!' roept mamma hem boos na.
Ik zie dat Marc achter Dennis aan gaat. Hij zal Dennis niet sparen omdat Dennis jonger is. Maar niet meer aan denken, alleen nog even helpen en dan wegwezen. Eerst gezellig naar tante Henneke en daarna ga ik vast en zeker nog even langs Lotte. Ik moet die uitslag horen. Ik stapel zo snel de borden, dat mamma tegen me uitvalt: 'Wat heb jij het ineens op de heupen? Doe wat voorzichtiger met die borden.'
'Ik moet toch nog weg,' breng ik haar in herinnering. Ze zucht.
'Nou vooruit, ga dan maar. Ik maak het wel alleen in orde.'
Dat hoeft mamma geen twee keer tegen me te zeggen. Ik was snel mijn handen en geef mamma een klein bedankkusje. De deur gooi ik veel te hard open en mamma hoort me nog gillen, terwijl ik naar buiten stuif: 'Dáár maken we een gezellig moment van!'

HOOFDSTUK 3

M ijn hand tast bij het houten richeltje. Hier ergens moet de sleutel hangen, naast de voordeur van tante Henneke. Er staat een bloemenbak voor de muur. Daar groeien allerlei vaste planten in, maar tegen de muur zelf groeit een dichte groene lijsterbes. Hierachter hangt de sleutel, uit het zicht. Alleen Lotte en ik weten van dit geheime plekje. Nou ja, als je de echte vriendinnen van tante Henneke niet meerekent. Het kost haar te veel moeite om de deur open te komen doen. Daarom heeft ze ons laatst dit geheime plekje gewezen. We moesten haar wel beloven dat we het aan niemand zouden vertellen, en dat hebben we ook nooit gedaan. Nu kunnen we aanbellen en zelf de deur openmaken. Zo hebben we het afgesproken. Ze hoeft niet bang te zijn dat we onverwachts in haar kamer staan.

Ik heb de sleutel al en bel aan. Daarna maak ik de deur open en hang de sleutel terug. In het halletje hoor ik tante Henneke zingen. Ze begeleidt zichzelf op de piano. Zou ze mijn belletje wel gehoord hebben? Ik luister even naar haar. Misschien moet ik nog een keertje aanbellen? Wat kan ze mooi zingen. Er trilt iets in haar stem. Je hoort dat tante Henneke meent wat ze zingt. Haar liedjes lijken wel liefdesliedjes. Toch weet ik dat de meeste liedjes over Jezus gaan. Ze heeft ons eens verteld dat haar liedjes gemaakt zijn door zwarte mensen. In een tijd dat de blanken zwarte mensen als slaven voor zich lieten werken. Dat moet een verschrikkelijke tijd zijn geweest voor de zwarte mensen. Daarom troostten de slaven elkaar met dit soort liedjes. Het is net alsof je dát nog steeds hoort als je goed oplet. Het zijn 'negrospirituals'.
Ik zal nog maar een keer aanbellen. Ik wil tante Henneke niet overvallen. Maar dan hoor ik tot mijn verbazing mijn naam in

haar liedje voorkomen. Ze speelt en zingt en ik hoor duidelijk: 'Kom binnen, dear Cathy, kom binnen, ik weet al dat jij er bent!' Dan stap ik lachend de kamer in.

Tante Henneke speelt het laatste akkoord en draait zich lachend om.
'Ha die Cate! Heerlijk is dat, even spelen. Kom, dan krijg je een hug!'
Ik loop naar haar toe. Ze slaat haar beide armen om me heen.
'Wil je buiten zitten? Wat is het nog mooi weer, hè? We kunnen best achter in de tuin gaan zitten. Ik moet daar nodig wat takken wegsnoeien. Dan heb ik weer beter zicht op het volleybalnet. Ze zijn daar iedere avond aan het oefenen. Worden de wedstrijden niet volgend weekend gehouden?' Ik knik afwezig. Het buiten zitten lijkt me niets. Dan vind ik het bezoek bij tante Henneke niet echt genoeg. Ik ben bang dat het mijn stemming meteen bederft, als ik door de dikke haag misschien Marc of Dennis zie lopen.
'Ik blijf liever binnen.'
Mijn buurvrouw vindt het best.
'Ik heb water voor de thee opgezet. Je wilt toch wel thee?'
'Oh graag.'

Ze komt moeilijk overeind. Vlak bij haar staat haar rollator, het loopkarretje. Toen ze deze twee jaar geleden kreeg, was het een uitkomst voor haar. Maar zo is het allang niet meer. Zelfs met het karretje kan tante Henneke maar moeilijk lopen. Ze heeft bijna geen kracht meer om op haar benen te staan. Nu heeft ze een elektrisch wagentje aangevraagd. Dan kan ze zich beter verplaatsen, zowel in huis als buiten. Maar daar moet ze nog een poosje op wachten. Stap voor stap beweegt mijn buurvrouw zich langzaam naar de keuken. Ik zeg niet dat ik de thee wel wil zetten of dat ik voor haar heen en weer wil lopen. Dat heb ik één keer gedaan en toen keek ze me zo verdrietig aan. Net alsof ze dacht dat ik ongeduldig was. Ik kan er maar beter geen aandacht aan schenken. Ze wil zo graag zelf voor haar gasten zorgen, ook al duurt het wat langer dan normaal.

Tante Henneke begint weer over het volleyballen. Ik vertel haar wat ik weet en loop door de kamer. De kamer van tante Henneke heeft dezelfde vorm als die van ons, en toch is het hier anders. Wij hebben de eettafel dicht bij de keuken staan, terwijl tante Henneke juist haar zithoek daar heeft staan. Ik loop naar de grote eettafel. Eerlijk gezegd lijkt de tafel van tante Henneke meer op een knutselhoek, dan op een eettafel. Ze is altijd bezig iets te maken. Nu moet ze ook weer bezig geweest zijn, want de tafel ligt vol.
Mamma zou roepen: troep! Maar tante Henneke is niet zo bang voor troep als mamma. Bovendien eet tante Henneke niet aan deze tafel. Voor het gemak gebruikt ze een opklaptafeltje in de keuken.

Er ligt van alles op de tafel: een werkplank, een rol ijzerdraad, een tang, werkhandschoenen, een hamer en spijkers. Maar ik zie ook een bakje water staan en een leeg kommetje. Daarin heeft ze waarschijnlijk gips gemaakt, want midden op de tafel zie ik het resultaat: een gipsfiguurtje op een houten blokje, gesteund door ijzerdraad.
Ik voel even of het al droog is. Dan pak ik het voorzichtig op en bekijk het van alle kanten. Het is heel knap gemaakt. Als je het hout iets beweegt, dan lijkt het net alsof het lijfje sierlijk in het rond draait.
'Hebt u dit gemaakt, tante Henneke?' roep ik naar de keuken. Ik houd het beeldje omhoog, zodat ze het vanuit de open keuken kan zien.
'Ja, lieverd! Daar ben ik deze week een poos zoet mee geweest. Het is nog niet helemaal klaar, want ik wil het ook nog schilderen. Wat vind je ervan?'
'Het is prachtig. Is het een danseresje?'

27

'Dat heb je goed gezien,' roept tante Henneke. 'Wat wil je liever: chocolade of koekjes?'

'Koekjes! Vooral die van u vind ik zo lekker.'

'Roomboter en de warme bakker, da's de truc voor lekkere koekjes.'

Ik zie tussen de rommel nog een gipsfiguurtje liggen. Ook dit mini-vrouwtje pak ik even op. Haar lijfje is net zo sierlijk gevormd. Alleen bij dit beeldje houdt één been ergens halverwege op.

'Is deze soms mislukt, tante Henneke?'

'Nee, dat niet,' roept Henneke.

'Maar het heeft maar één been.'

'Zo is het leven!' hoor ik tante Henneke zeggen. Wat een raar antwoord. Ik bekijk het vreemde figuurtje nog eens wat beter. Dan vraagt Hen: 'Cathy, wil jij dit dienblad op het bijzettafeltje zetten?'

Even later zitten we samen op de bank. Het dienblad staat vol met kopjes, thee, suiker en een schaal vol heerlijke koekjes. Die koekjes zijn niet zo goed voor tante Henneke. Ze is niet één van de slanksten. Met een ondeugende blik knabbelt ze toch een roomboterkoekje weg. Intussen vraagt ze me van alles. Hoe het met me gaat. Hoe het thuis is en op school. Of ik straks ook meedoe aan het volleybaltoernooi. Wanneer ik de Cito-toets heb en of ik al enig idee heb naar welke school ik straks zal gaan. Maar als het even stil is, vraag ik haar, eigenlijk zonder dat ik goed weet waarom: 'Waarom maakt u een danseres met één been?'

'Ik wil er iets mee zeggen. Iets over het leven.'

'Ja, zoiets zei u daarnet ook al. Maar dat begrijp ik niet. Een danseres met één been bestaat toch niet? Niemand kan dansen met maar één been.'

Tante Henneke kijkt even voor zich uit. Ze heeft een lief gezicht. Een beetje mollig, blozend en een dikke bos blond haar.

'Zeg Cathy, pak die twee danseresjes er even bij, wil je?'

'Tuurlijk!'

Ik haal de twee beeldjes op. Het ene ligt in mijn hand. Het heeft nog geen steun of voetstuk en kan daardoor nog niet staan. Ik leg ze allebei in de schoot van tante Henneke. Dan houdt tante Henneke de beeldjes zo vast, dat ze allebei rechtop lijken te staan. Nu kun je bijna geen verschil zien. Als tante Henneke de beeldjes iets beweegt en draait, zie je de beide vrouwtjes dansen. Heel duidelijk, zonder enig verschil. Ik sta er met verbazing naar te kijken. Wat is dit knap gemaakt. Zo echt. Hoe bestaat het?
'Zie je ze dansen, Cathy?' vraagt tante Henneke.
'Ja! Ze dansen. Ze dansen allebei.'
'Zo is dus het leven.'

Ik kijk tante Henneke aan. Moet ik het nu begrijpen?
'Ik vind het knap hoor. Hoe kunt u het zo maken? Ze lijken echt te dansen, terwijl het gewoon maar twee beeldjes zijn, die u met de hand beweegt.'
'Welke vind je nu het mooist?'
Juist nu zie ik ineens weer het halve been. Die stomp stoort me zo, dat het dansen stopt. Nu is er wel veel verschil tussen de twee danseresjes. Het ene danst en het andere duidelijk niet. Welke ik het mooist vind?
'Deze.' Ik wijs het gave danseresje aan.
'Zo zijn de mensen, Cathy!' Tante Henneke legt de beeldjes neer en kijkt me aan.
'Wij willen het liefst de danseres met twee benen. En toch heb je zelf gezien dat ook het andere danseresje kan dansen.'
'Jawel, maar het is toch niet echt. Ik bedoel... Nou ja, als je op het halve been let, dan is het verschil heel groot.'
'En toch zag je ze allebei dansen, terwijl jij dacht dat je voor dansen per se twee benen nodig hebt.' Ik staar wat naar die beeldjes, maar begrijp er maar weinig van.
'Kijk,' zegt tante Henneke, 'het leven laat ze wel allebei dansen, maar zien we dat ook? Want het is het een of het ander: je ziet óf de dans, óf het halve been. Je ziet ze nooit tegelijk. Het is óf óf.'

Ik knik. Ja dat heb ik net zelf gezien. Maar ik blijf het wel zonde vinden dat ze zo'n mooi beeldje expres gemaakt heeft met een half been. Jammer gewoon.

Tante Henneke geeft me de vrouwtjes terug. Ik breng ze weer naar de grote eettafel. Als ik terugkom bij de bank vraag ik:
'U kon toch ook twee gave danseresjes maken? Dat is toch nog mooier?'
'Dat heb ik expres niet gedaan. Het leven is niet altijd zo gaaf en volmaakt. Er zijn veel mensen die met één been moeten leven en ook graag willen dansen. Ik ken er genoeg. Dan bedoel ik het niet letterlijk, maar vooral figuurlijk. Mensen die iets belangrijks in hun leven moeten missen.'
'Ja, ja, of liever nee, nee.'
'Kijk, Cathy, ik heb deze beeldjes speciaal voor mezelf gemaakt. Ik wil mezelf dit blijven vertellen: Hen, je hoeft niet twee benen te hebben om te kunnen dansen.'

Die beeldjes betekenen vast veel voor haar. Zou ze het erg vinden als ik het niet goed begrijp? Gelukkig gooit tante Henneke het al over een andere boeg, terwijl ze mij nog een kopje thee in-schenkt.
'En nu moet je me maar eens vertellen, Cathy, waarom je bij me langs wilde komen?'
'Ik heb nog steeds geen onderwerp voor mijn werkstuk. Lotte zal het over India gaan hebben. U heeft haar zo goed geholpen. Misschien wilt u mij ook helpen?' Tante Henneke knikt. Dit is altijd zo fijn bij haar: ze luistert echt naar je! Ze heeft het bijna nooit te druk.
'Volgende week moet het al klaar zijn, maar ik weet niets te bedenken. Als ik nog langer wacht, lukt het helemaal niet meer.'
'Nou. Dan heb je een groot probleem, Cathy! Moeten we komen-de week ook nog een keer "droogzwemmen"?'
'Nee, bij dit werkstuk hoeven we pas over drie weken een

spreekbeurt te houden. En het mag over je werkstuk gaan, maar ook wel over iets anders. Dat wil de meester geloof ik zelfs liever. Maar het werkstuk moet volgende week ingeleverd worden. Lotte is al bijna klaar. Het ziet er keurig uit. Lotte kan zulke dingen zo goed. Ze doet bijna alles beter dan ik en ze is ook altijd op tijd.'
Ik zucht.
'Lotte heeft dan ook geen broertje dat Dennis heet!'
Ik kijk verbaasd op. Wat heeft Dennis hiermee te maken?
'Dennis?' Ik zucht opnieuw.
'Precies zoals je het zegt!' reageert tante Henneke.
Heb ik iets gezegd?
Tante Henneke pakt haar thee van het bijzettafeltje en ik zie haar nadenken.
'Ik zal je wat onderwerpen noemen: zeehonden, de Waddenzee of de fiets. Bestrijding van tuberculose, asielzoekers in Nederland, of je neemt een land: Kenia, Uganda, Jemen, of je gaat het hebben over Dennis.'
Alweer roep ik verbaasd de naam van mijn broertje. Begrijpt tante Henneke mijn vraag eigenlijk wel?
'Ik moet een werkstuk maken voor school. Dennis is toch geen onderwerp. En zeker geen leuk onderwerp,' zeg ik fel.
'Ben je boos op me?' vraagt tante Henneke.
Ik schrik van die vraag. Natuurlijk ben ik niet boos op haar.
'Nou ja, Dennis is gewoon geen onderwerp,' probeer ik iets rustiger te praten. Ik kijk tante Henneke een beetje ongelukkig aan.
'Ik denk dat ik zeehonden leuker vind.'
'Dat is óók een heel leuk onderwerp.'
'Dennis is geen onderwerp,' werp ik nog een keer tegen.
'Hm, geen onderwerp?' Tante Henneke gaat staan. Langzaam loopt ze met haar rollator naar de grote tafel.
'Waarom denk je eigenlijk dat Dennis geen onderwerp zou kunnen zijn?' vraagt ze.
Snapt tante Henneke dat dan echt niet? Ik heb haar toch verteld over die vreemde handicap van Dennis en wat pappa en mamma

erover hebben gezegd. En het is niet lang geleden dat ik hier bij tante Henneke nog gehuild heb om iets heel stoms dat Dennis had gedaan. Toen dacht ik dat tante Henneke me juist heel goed begreep, maar nu...?

'Dennis is gewoon hopeloos!' roep ik, weer iets te hard. Maar dan begin ik te vertellen. Het hele verhaal spuit eruit: over het herten-kampje en die oude man. Tante Henneke is bij de grote eettafel gaan zitten en ze luistert aandachtig. Aan haar kan ik zeggen hoe kwaad ik was dat ik Dennis weer moest gaan zoeken. Maar ook hoe ik schrok toen ik zag dat de oude man Dennis bij de arm beetgreep en meesleurde naar het hek. Hoe bang ik werd toen Dennis die man een trap tegen zijn been gaf. Ik vertelde haar ook dat die man me gewenkt had en dat ik beslist niet naar hem toe durfde te gaan.

'Nu weet ik niet eens hoe het is afgelopen. Misschien kon hij niet meer lopen. En dan ben ik zomaar hard weggefietst...'

'Nou niet helemaal "zomaar", Cathy,' zegt tante Henneke. 'Je was toch bang voor die meneer?'

Ik doe een poging om vooral niet te huilen. Maar die lieve stem van tante Henneke roept altijd waterlanders bij me op.

'Je fietste immers met een goede reden weg,' is de conclusie van tante Henneke. Maar mijn verhaal is nog niet uit.

'Nu is vanavond de juf van Dennis bij pappa en mamma. Dennis doet ook vaak op school erg vervelend. Nu moet hij misschien naar een andere school.'

'Ach, wat naar voor hem.'

'Meer voor pappa en mamma. Zij vinden het heel erg dat Dennis misschien niet in het dorp kan blijven. Dennis maakt mensen alleen maar verdrietig... of boos.'

'Jij bent soms ook verdrietig door Dennis, hè?'

Ik wrijf met mijn hand over mijn ogen. Dan roep ik ineens veel harder dan ik eigenlijk wil: 'Nou dan! Waarom begrijpt u dat dan niet? Dan ga je dáár toch geen werkstuk van maken.'

Ik schrik van mezelf. Nu is het net alsof ik toch boos ben op Hen.

Maar tante Henneke wuift al met haar hand.

'Het geeft niks, meiske, hoe je de dingen zegt. Je roept maar zo hard als je wilt. Ik heb geleerd om vooral te luisteren naar wát iemand wil zeggen, en niet of het wel netjes genoeg gezegd wordt. Dat vind ik niet belangrijk.'

Nu moet ik toch een beetje huilen. Ik zie dat tante Henneke haar gipsfiguurtjes weer van de tafel pakt. Ze houdt ze omhoog zodat ik de beeldjes kan zien.

'Dit is mijn werkstuk, Cathy!' zegt tante Henneke.

'Dat is dan in ieder geval een leuk werkstuk,' zeg ik mopperend.

'Maar, lieve Cathy, nu moet jij even naar mij luisteren.'

Ik sta op en loop naar haar toe. Ze slaat een arm om mijn middel.

'We hadden het over een onderwerp voor je werkstuk. Jij wilt een leuk onderwerp. Maar de aanleiding voor mijn werkstuk is veel minder leuk dan je denkt. Je weet, Cathy, dat ik steeds minder goed kan lopen. Ik heb er moeite mee om dit te accepteren. In de afgelopen twee jaar is de kracht bijna helemaal uit mijn benen verdwenen. Invalide worden is erg, vooral als je het zelf moet meemaken. Om zoiets naars te verwerken, heb ik deze gipsbeeldjes gemaakt. Ze vertellen me een geheim dat ik nooit wil vergeten. En ik kan je verzekeren dat ik hier heel erg mijn best op gedaan heb, Cathy. Ik wil ze zo mooi mogelijk maken.'

Tante Hennekes stem is zacht. Haar blauwe ogen lijken een beetje vochtig. Daardoor zijn ze dieper blauw dan anders.

'Maar ik vind ze ook mooi, tante Henneke,' zeg ik zacht.

'Daar gaat het niet om. Ik wil je zo graag duidelijk maken dat een werkstuk over Dennis, of over zijn handicap, toch een heel mooi en goed werkstuk kan worden. De aanleiding hoeft niet altijd leuk te zijn, om er toch iets goeds van te maken.'

Ze legt de beeldjes terug op tafel. Als we weer op de bank zitten, legt ze haar arm om me heen. Nu is ze net mamma, denk ik.

'Cathy, je hebt het niet makkelijk met je broertje. Dat verdrietige moet je verwerken. En bij dat verwerken kan juist een werkstuk of een spreekbeurt goed helpen. Als je iets gaat doen met verdrietige dingen, dan ga je anders nadenken over dat verdriet. Als je probeert een ander iets uit te leggen over jezelf of over je probleem, dan zul je ontdekken dat je het zelf ook beter gaat begrijpen. Snap je dat een beetje?'

'Jawel,' zeg ik zacht.

'Daarom maken sommige mensen beelden of schilderijen, daarom schrijven ze gedichten of verhalen. Uiteindelijk om problemen beter te begrijpen. Nou, zoiets heb ik ook gedaan met die beeldjes. Ik moet ze alleen nog schilderen, maar let maar eens op hoe mooi ze worden. Daarna komen ze op de piano te staan.' Ze tilt mijn hoofd even op.

'Ik zou het fijn vinden, Cathy, als je niet vergeet dat de aanleiding om deze danseresjes te maken iets verdrietigs is geweest: ik kan bijna niet meer lopen!'

Het blijft even stil tussen tante Henneke en mij. Maar dit is geen nare stilte. Ik voel de rustige ademhaling van Hen. Hoe zou ik moeten uitleggen wat ze voor mij betekent? Gelukkig heeft niemand me daar ooit naar gevraagd. Ik probeer ook na te denken over wat ze heeft gezegd. Maar een werkstuk over Dennis maken lijkt me een onmogelijke opgave. Na een poosje vraagt ze: 'Wil je nog iets drinken, meiske?'

Dan waag ik het erop. Ik moet altijd eerlijk zijn van haar, ook als ik het niet met haar eens ben.

'Ik doe toch liever zeehonden.'

Vindt ze me nu niet eigenwijs, omdat ik niet naar haar raad luister? Maar tante Henneke geeft me een knuffel en zegt enthousiast: 'Zaterdag ben ik vrij en dan ga ik samen met jou naar Pieterburen.'

'Pieterburen?'

'Ja. Misschien wil Lotte ook wel mee. Dáár maken we een gezellige middag van!'

Ik schiet in de lach. Die gekke uitdrukking van haar.

'Maar 's middags zijn de finalewedstrijden,' herinner ik me ineens weer.

'Dus helemaal niet het volgende weekend,' lacht tante Henneke verbaasd. 'Je stond ook zo te dromen toen ik het je zopas vroeg. Maar goed, vertel eens: hoe laat beginnen die wedstrijden dan?'

'Om vier uur.'

'We zorgen dat we dan terug zijn. We gaan om negen uur weg. En je zult er echt veel aan hebben voor je werkstuk.'

'Maar wat is er dan in Pieterburen?'

'Daar is een soort ziekenhuis voor zeehonden. Daar moet je eerst geweest zijn, voordat je iets gaat schrijven over zeehonden. Na zaterdag heb je zoveel stof voor je werkstuk. Dat werkstuk maken is dan een fluitje van een cent!'

Ik kijk haar even aan. Er valt zo'n zwaar gevoel van me af. Die tante Henneke, ze is eigenlijk te gek voor woorden! Zo licht als een veertje hol ik een half uurtje later naar het huis van Lotte. Het is later geworden dan ik dacht. Lotte is al naar bed gestuurd, maar Gerben weet dat ik nog even voor de uitslag langs zou komen. Hij doet zelf open en met een brede grijns kijkt hij me aan. Ik weet genoeg. Lotte en ik spelen mee dit jaar! En nu maken dat ik thuiskom.

HOOFDSTUK 4

P hilip Rozenveld, de buurman van Lotte, is ziek geworden. Hij heeft gisteren pijn in zijn rug gekregen. Niemand had dit verwacht. Philip is een grote man en altijd gezond. Hij is een van de beste spelers van ons team. Wat een pech! In de straat is Philip het nieuws van de dag. Het is natuurlijk naar voor hem en voor ons team, maar toch kan ik er niet echt mee zitten. Lotte en ik zijn reservespelers die normaal gesproken niet meespelen in de wedstrijd, tenzij er iemand uitvalt. Dat lijkt nu te gebeuren. Ze moeten kiezen tussen Lotte en mij. Stel je toch voor dat ík wisselspeler wordt en mee mag doen.

Morgenavond beginnen de eerste wedstrijden van het stratenvolleybal. Alleen de winnende teams gaan door naar de zaterdagmiddag. Dan worden de halve finale en de finale gespeeld. Vanmiddag gaan we voor de laatste keer oefenen op het veld. Deze keer moet ik erbij zijn. Want vanavond beslissen ze ook wie er moet invallen voor Philip. Ons team bestaat uit zes vaste volleybalspelers, twee vaste wisselspelers en daarna komen twee reservespelers. Als de coach het nodig vindt, mogen de wisselspelers invallen of meedraaien tijdens een wedstrijd. Als we bijvoorbeeld denken dat we de wedstrijd makkelijk kunnen winnen, dan sparen we onze krachten liever en spelen we de partij met acht man. Maar moeten we knokken voor de wedstrijd, dan zetten we alleen de beste spelers in. Om zo goed mogelijk te spelen zijn er bij de oefenwedstrijden gelukkig altijd wel mensen uit onze straat te vinden die tegenstander willen zijn. En straks onze supporters! Zelfs die oefenwedstrijden zijn fanatiek. We vechten voor elk punt. Dat is de mentaliteit van onze straat, en alleen zó vind ik volleybal leuk.

Straks zal Lotte me ophalen. Dan gaan we samen naar het veld. Het echte oefenen begint pas tegen zes uur, als de volwassenen vrij zijn. Maar Lotte en ik gaan eerder. We nemen brood en drinken mee naar het veld. We spelen alvast wat in met andere kinderen die ook vroeger komen. Het is lekker om buiten te zijn.

Lotte zal vanmiddag haar nieuwe kniebeschermers wel meenemen. Die heeft ze gekocht toen ze in Groningen was. Alleen met kniebeschermers om kun je goed duiken naar de bal. Ik durf nog niet goed te duiken, maar ik heb ook geen kniebeschermers. Eigenlijk zou ik ze ook moeten hebben. En zeker als, nou ja, stel nu dat... ik ingedeeld word?

Ik loop met de stofzuiger naar mijn kamer. Op mijn manier heb ik het druk. Mijn kamer moet opgeruimd worden. De radio staat zachtjes aan. Het hok van Rik heb ik al verschoond. Wat kan zo'n mormeltje een poep produceren. Nu nog even met de stofzuiger het zaagsel van de vloer zuigen. Daarna moet ik nog huiswerk maken. We hebben voor morgen een aantal sommen opgekregen. Niet de makkelijkste. Vanuit Marcs kamer hoor ik zwaar ritmisch geweld. Het is niet bepaald mijn smaak. Ik zet mijn radio maar wat harder.

Zou Gerben ook van house houden? Hè, hoe kom ik daar nu op? Ik sleep de stofzuiger terug naar de overloop. Het gebeurt de laatste tijd nog al eens dat ik aan Gerben moet denken. Het komt vast door het volleybalseizoen. Ik zie hem nu vaker dan in de winter. Bijna elke avond zien we elkaar wel een poosje op het veld. Dan spelen we een paar partijtjes. Ik zit steeds Marc en Gerben met elkaar te vergelijken. Zoiets moet je misschien niet doen, maar ik doe het toch. En elke keer komt Gerben als winnaar uit de bus. Hij is drie jaar ouder dan ik. Het is vast omdat Lotte mijn vriendin is, anders zou Gerben me niet eens zien staan. Hij zit al in drie havo en ik nog maar in groep acht. Ik vind Gerben veel gezelliger dan Marc. Met hem kan ik praten. Hij laat me nooit merken dat hij me te kinderachtig vindt. Dat doet Marc juist wel en daar kan ik dan boos over worden. Nee, Gerben... Zou ik verliefd op hem zijn? Maar ik voel helemaal geen vlinders in mijn buik. Dat lees je toch altijd in die meidenbladen: als je verliefd bent moet je vlinders voelen of zoiets. Ik zou het natuurlijk aan Lotte kunnen vragen, maar dat durf ik niet goed. Want als ze gaat vragen op wie ik verliefd ben... wat moet ik dan zeggen? Gerben is wel mooi haar broer.

Dennis loopt bij me binnen. Ik wil juist aan mijn sommen beginnen. Hij verveelt zich. Met een plof valt hij op mijn bed neer. Dan wil hij Rik uit zijn kooi halen.
'Je moet Rik laten zitten. Ik heb net zijn kooi schoongemaakt,' zeg ik onvriendelijk.
'Wat kan dat nu schelen. Ik doe toch voorzichtig.'
Ik wil niet dat Dennis aan Rik komt. Ik vertrouw Dennis niet. Hij kan helemaal niet met dieren omgaan. Rik heeft Dennis een keer in de vinger gebeten, terwijl hij mij nooit iets doet. Nee, Dennis moet gewoon niet aan mijn hamster komen.

Ik vind het bovendien niet leuk als hij op mijn kamer komt niksen. Meestal loopt dat uit op ruzie. Natuurlijk wil ik dat niet, maar het gebeurt vaak wel.
'Dennis, ga naar beneden. Ik moet huiswerk maken,' probeer ik. Ik ga vast bij mijn bureautje zitten en haal mijn rekenboek uit mijn tas. Ik begreep de opdrachten vanmorgen nog niet zo goed. Terwijl ik de opgaven probeer te lezen, hoor ik achter me dat Dennis het kooitje toch openmaakt.

Rik heeft het heel druk gehad om een nieuw holletje te maken in het verse zaagsel en stro. Het beestje ligt diep verstopt te slapen en reageert niet op het geluid.
'Dennis, laat die hamster,' zeg ik. Maar Dennis rommelt met zijn vingers door de bak.

'Hé, je hebt me toch wel gehoord? Je moet van Rik afblijven,' zeg ik bozer.

'Ik doe toch niets,' klinkt het pesterig.

'Je doet wel iets. Blijf van die kooi af.' Dennis zou Dennis niet zijn als hij zou doen wat ik tegen hem zeg. Hij blijft met één vinger door het zaagsel krabbelen, totdat Riks holletje zichtbaar wordt. Dit gaat me te ver. Ik vind het zielig voor mijn hamster. Boos loop ik op Dennis af en grijp hem beet.

'Nou, schiet op jij! Wat ben jij toch een pestkop. Ga maar iemand anders pesten, maar niet mijn hamster.'

Ik wil Dennis van mijn bed trekken en de kamer uitduwen. Ik ben toch sterker dan hij. Maar dan, als door een wesp gestoken stuift Dennis op. Ik schrik ervan. Zijn vuisten gaan dreigend naar me omhoog.

'Blijf van me af, stom wicht. Moet ik je soms een dreun verkopen?'

'Ho ho, doe even ietsje rustiger, wil je,' probeer ik hem te sussen. Vechten met Dennis zie ik niet zitten. Toch zeg ik nog een keer, alleen ietsje voorzichtiger: 'Maar je gaat hier wel weg. Ik moet nog huiswerk maken. Toe Dennis, ga naar beneden.'

'Stomme trut. Ik mag nooit iets van je.'

'Ik ben geen trut.'

'En ik geen pestkop!' Ondertussen loopt Dennis niet naar de deur, maar komt met een boog terug naar mijn bed. Daar gaat hij weer zitten, vlak bij de kooi van Rik.

Ik aarzel. Wat moet ik nu doen? Misschien kan ik hem het beste negeren. Ik ga weer aan mijn bureau zitten en probeer mijn best te doen op mijn sommen. Zo schiet ik weinig op. Vanuit mijn ooghoeken hou ik Dennis in de gaten. Hij heeft een Donald Duck onder mijn bed vandaan gehaald en is gaan liggen lezen. Met zijn hoofd aan het voeteneind, vlak bij Rik. Akelig, opletten en sommen maken tegelijk. Straks komt Lotte me halen en dan ben ik nog niet eens klaar.

Na vijf minuten begint het geklier opnieuw. Dennis tikt met een pen tegen de kooi van Rik. Ik zie het stro bewegen. Een zwart snoetje komt steeds onrustig kijken wat er aan de hand is.

'Hou op, Dennis.'

Tik, tik...

'Ga dan naar beneden.'

Tik, tik...

'Moet ik mamma roepen?'

Tikketikketik...

Hij blijft maar doorgaan. Superirritant. Op het laatst verlies ik mijn geduld. Ik word woest. Het is dom, maar ik vlieg overeind en trek Dennis hardhandig van het bed af.

'En nu mijn kamer uit,' schreeuw ik tegen hem. 'Schiet op. Als je nu niet gaat, dan schop ik je eruit.' Ik voel me sterk worden en ben vast van plan om Dennis een paar schoppen te verkopen, als hij nu nog langer doorgaat.

Met een vals lachje komt hij overeind.

'Schiet op, schiet op,' roep ik ongeduldig. 'Mijn kamer uit.'

'Ga daar even staan schreeuwen, Cathy,' zegt hij sloom. 'Rustig maar... ik ga al. Volgens mij is oma er ook al.'

'Wat kan mij oma schelen? JIJ MOET ERUIT. NU!!'

Op dat moment gaat de deur open. Mamma komt binnen. Ik heb een rood hoofd en sta haar met boze ogen aan te kijken. Mamma heeft dat laatste vast gehoord. Ik zie de triomfantelijke blik in Dennis ogen. Hoe bestaat het. Ik verlies het altijd van hem.

'Cathy, Cathy... Wát héb jij toch de laatste tijd? Ik hoorde je zo net ook al zo'n drukte maken en nu weer. Natuurlijk word je een puber, maar dat betekent nog niet dat je zo'n ordinaire schreeuwlelijkerd moet zijn. Als Dennis je kamer uit moet, dan vraag je het toch gewoon.'

'Dan vraag je het hem...? Dan vráág je het hem?' stotter ik.

'Ja, natuurlijk!' zegt mamma rustig. 'Dat is toch de normaalste zaak van de wereld?'

Ik sta helemaal paf.

Mamma raapt een papiertje van de grond en zegt op andere toon: 'Komen jullie beneden thee drinken, oma Kruytman is er.'
Ze doet de deur achter zich dicht. We horen hoe ze ook bij Marc even naar binnen loopt, om hem voor de thee te roepen. Dennis staat nog altijd vlak bij me. Hij loopt naar de deur. 'Puber?... Schreeuwlelijkerd? Leuk! Die moet ik onthouden.'
'Ga... ga onmiddellijk mijn kamer uit...' sis ik.
Eindelijk gaat hij.

Ik laat me op mijn bed vallen en zucht. Rik is driftig bezig zijn holletje te repareren.
'Sorry, Rik!'
Ik blijf een poosje naar hem kijken en knik dan.
'Ik ga mijn sommen maken. Ik zal net zo doen als jij. Oké? Gewoon me niets aantrekken van zo'n pestjoch. Dat bedoel je, hè? Jij maakt je holletje, ik maak mijn sommen. Die stomme Dennis.'
Rik zegt niets terug, hij let niet eens op me, zo druk heeft hij het. Vooruit, aan de slag. De thee kan me gestolen worden. Straks komt Lotte.

Een half uurtje later wordt er op mijn deur getikt. Lotte. Ze heeft een dienblad bij zich met twee koppen thee en koeken.
'Ha Cathy, je moeder zei dat ik dit mee moest nemen voor je. Lief van haar, hè? Ben je al klaar met de sommen?'
'Bijna.' Die ene zin: 'lief van haar...' Soms denk ik dat mamma helemaal niet meer van me houdt. Ze had me toch wel kunnen vragen waarom ik zo boos op Dennis was. Zou ze echt niet weten dat het soms niet helpt om Dennis iets te vragen? Dat hij zo lang kan doorgaan met treiteren, dat je helemaal gek wordt van kwaadheid? Hoe noemde ze me ook al weer? Een puber, een schreeuwlelijkerd?
'Welke som moet je nog doen?' vraagt Lotte. Ze kijkt over mijn schouder mee.

'Oh, die. Zal ik het even voor je doen? Ik weet het nog wel, want ik heb 'm net thuis ook gemaakt.'
Wat is er toch met mij aan de hand... de laatste tijd?

'Zo, dat is klaar,' zegt Lotte even later. 'Je hebt je drinken nog niet op en die koek moet je ook nog even wegwerken. We gaan lekker naar het veld toe.' Lotte klapt mijn schrift en boeken dicht en kijkt me opgewekt aan.
'Zeg Cate, ik denk dat één van ons tweeën straks mag meespelen in het team. Philip Rozenveld kan immers niet spelen. Hij was nog wel een van de besten. Zou jij willen spelen?'
'Best wel, maar Gerben zal vast jou kiezen.'
'Waarom?'
'Het is toch jouw broer,' zeg ik. Nu begint Lotte te lachen. Ze stoot me plagend tegen mijn schouder.
'Wat denk je dat meer indruk maakt: een zusje of een vriendin?'
Ik kijk haar onnozel aan.
'Snap je dat dan niet? Jij bent toch zijn vriendin?' Lotte geeft me een knipoog. 'Een vriendin, zowel van mij als van Gerben. En dat al jarenlang!'
Ik voel me helemaal warm en rood worden. Wat gebeurt er nu weer met me? Dit is verschrikkelijk. Ik bloos. Dit is de eerste keer dat ik bloos en Lotte ziet het nog ook.
Ik krijg nog meer stootjes van haar en ze lacht me vrolijk uit om die rooie kop. Ik lach een beetje schaapachtig met haar mee. Wat moet ik anders? Gerben, misschien meespelen, de volleybalwedstrijden, winnaar worden. Laat ik die woorden van mamma en dat gedoe met Dennis maar gauw vergeten.

'Hoog die bal! Hoger!'
Ik probeer de bal met een keurige boog naar de vader van Lotte te spelen. Hij staat voor het net. Als spelverdeler gaat de tweede bal altijd naar hem toe. Hij vangt hem en onverwachts, met een flinke uithaal slaat hij de bal rakelings over het net. Precies langs

het blok van de tegenstanders. De bal valt met een plof op de grond. Gejuich! Weer een punt. Alsof we nu al de finale spelen, zo gaan we tekeer bij ieder punt. De stemming zit er goed in: we rennen naar elkaar toe en schreeuwen onze jel, terwijl we snel elkaars handen aantikken. Daarna terug naar je plaats. Een nieuwe opslag voor ons, Gerben is aan de beurt.

Hij maakt een daverend eind aan de wedstrijd door de bal precies in een lege hoek te plaatsen. Een ace! We dansen met elkaar in het rond. Gewonnen: 15 - 11.

Uitgeput laat ik me even later naast Lotte in het gras vallen. Met één hand zoek ik in mijn tas de fles drinken.

'Cathy, je was goed, joh,' lacht Lotte. 'Ik denk dat mijn vader toch jou zal kiezen.'

Ik kijk met een tevreden gezicht naar het veld waar nog steeds een groepje spelers staat. Het is waar, ik heb nog nooit zo goed met de groten meegespeeld. Stel je toch eens voor dat ik mee mag doen met stratenvolleybal? Ik straal ervan, maar voel me ook een beetje verlegen. Lotte is minstens zo goed in volleybal als ik. Zij heeft het eerste oefenpartijtje meegespeeld.

'We zullen het straks wel horen,' zeg ik. Op het veld staan Lottes vader en Gerben druk te overleggen. Af en toe wijzen ze naar ons.

Ik tik Lotte aan en wijs hun richting op: 'Ze zullen het nu wel over ons hebben.'

'Oh, Cathy, als ik gekozen word, vind ik dat natuurlijk heel leuk, maar echt, ik gun het jou ook.'

Ik ga languit in het gras liggen. Tjonge, wat heb ik lekker gespeeld. Ik ben warm geworden. Straks moet ik eerst maar onder de douche.

'Kijk.' Lotte prikt me in de zij. 'Volgens mij komt tante Henneke eraan.'

Ik draai me op mijn buik en zie aan de overkant van het veld een vrouw in een rolstoel. Ze wordt voortgeduwd door een andere vrouw. Er holt ook een hond met hen mee.

'Ja, dat is Hen. Zie je wie er bij haar is?' vraag ik Lotte. 'Is dat niet die ene vriendin uit Friesland. Die heeft toch een hond? Irene of zo?'

'O, ja en dan heet die hond Noeschka. Nu weet ik het weer. Maar volgens mij is tante Henneke te laat.'

We staan op en lopen alvast in haar richting. Noeschka heeft ons gezien en rent enthousiast op ons en de andere mensen af. Het is een kleine druktemaker die zich niet makkelijk laat aaien, maar wel om je heen danst en tegen je op probeert te springen.
'Cathy en Lotte, moeten jullie nog spelen, of zijn we te laat?' roept tante Henneke, zodra ze wat dichterbij zijn gekomen.
Voor we kunnen antwoorden, hoor ik de stem van Gerben. Hij staat ineens vlak achter ons.
'Hen, je bent te laat! Mooie supporter ben je. Als je morgen niet om half zeven op het veld verschijnt met je feestpet, je trommels en het spandoek, dan kijken we je als buren nooit meer aan.'
Tante Henneke lacht om Gerbens dreigende taal.
'Reken maar. Ik ben morgen van de partij. Maar Gerben Wolters, ik zal jou ook wat zeggen: als jullie niet winnen, bak ik met oud en nieuw geen oliebollen meer voor de volleybal-activiteiten!'
'Oh nee, dat meen je toch niet?' roept Gerben, ongerust.
'Dan zorg je maar dat de Da Costastraat dit jaar als winnaar uit het toernooi komt.'
'Het hangt allemaal af van de prestaties van deze jongedame.' Ik voel een hand op mijn schouder. Gerben trekt me even tegen zich aan. Mijn hart begint te bonzen. Ik mag meedoen en Gerben houdt me vast. Ik wil lachen, naar hen kijken, blij zijn. Het is allemaal zo leuk, maar vreemd tegelijk. Want daar begint dat blozen weer. Iedereen kan het zien.
Maar Lotte let er nauwelijks op, die roept: 'Mag Cathy echt meespelen?' En voor ik iets kan zeggen, hoor ik Gerben weer:
'Zo is het. We rekenen op je, Cathy Bergsma. Je hebt de eer van de straat hoog te houden.' Hij kijkt me aan. 'Je moet morgenavond om zes uur aangekleed en wel op het veld zijn. Daar krijgen we de laatste instructies van mijn vader.'
Ik voel me hopeloos met mijn rode hoofd.

'Zeg,' port Lotte in mijn zij, 'ben je niet blij?'

'Cathy is juist heel erg blij!' hoor ik tante Henneke zeggen. Ze geeft me een knipoogje, terwijl ze de aandacht probeert af te leiden: 'Vertel eens, Gerben, tegen welke straat moeten jullie morgen het eerst uitkomen?'

HOOFDSTUK 5

O ma Kruytman is jarig. Omdat het weer nog zo mooi is, heeft oma spontaan besloten haar verjaardag te vieren met een groots tuinfeest. Ze wordt vijfenzestig jaar en mamma heeft met Dennis en mij afgesproken dat we na schooltijd samen naar het feest van oma kunnen gaan. Pappa en zij komen later. Marc gaat op eigen gelegenheid naar het feest.

Ik sta bij het hek op Dennis te wachten. In mijn zak zit geld voor een cadeautje voor oma. Ik rammel met mijn hand door de euro's. Ik weet al wel iets voor oma en hoop dat Dennis een beetje meewerkt, dan zijn we straks snel klaar. We komen op weg naar oma langs een winkeltje waar je hele leuke cadeautjes kunt kopen. Oma woont in het oude gedeelte van ons dorp. Wijzelf wonen in een nieuwe woonwijk.

Ik kijk over het plein. Er komen niet veel kinderen meer naar buiten. Waar blijft Dennis? Op mijn horloge is al het half vier geweest. Dan zie ik Erik naar buiten komen. Hij gooit nonchalant zijn jas over zijn schouder.

'Erik? Is Dennis nog binnen?' vraag ik, als hij even later vlak voor mij het hek uit fietst.

''k Weet niet. Ik heb hem niet meer gezien,' roept Erik. Zijn fiets stuitert de stoep af. 'Ik was de laatste die de klas uitkwam.'

Dennis! Hoe lang moet ik nu weer op hem wachten? Ik voel me boos worden. Uitgerekend nu, nu we samen naar oma zullen gaan. Waar zit die jongen? Daar komen zelfs al de eerste meesters en juffen aan. De school gaat straks dicht. Nog nooit heb ik zo lang moeten wachten. Ook juf Bonnema loopt het schoolplein op. Ik zet mijn fiets op de standaard en ren naar haar toe.

'Juf!' roep ik hard.

Juf Bonnema blijft midden op het plein staan. 'Cathy.' Ze knikt me vriendelijk toe.

'Is Dennis nog binnen?'

'Nee hoor, hij was juist als één van de eersten weg vanmiddag. Je oma is toch jarig. Daar had hij het tenminste over. Hij moest snel-snel en had nergens tijd voor. Je kent je broertje.'

Ik begrijp het al. Dennis zit allang bij opa en oma Kruytman aan de taart. Ik heb voor niets gewacht. Dan moet ik maar alleen een cadeautje voor oma gaan kopen. Ik pak mijn fiets en zonder nog een keer om te kijken, fiets ik regelrecht naar het kleine winkeltje.

Een poosje later bel ik aan bij het huis van opa en oma Kruytman. Uit het openstaande raam hoor ik geroezemoes. Mijn moeder heeft veel familie. Er zijn verschillende ooms en tantes gekomen, maar ook een aantal vriendinnen van oma. Opa Kruytman komt voor me opendoen.

'Cathy! Wat fijn dat je er bent,' lacht hij vriendelijk. 'Is Dennis niet met je meegekomen?'

Ik schrik. 'Dennis... die is hier toch allang?' vraag ik onzeker.

Opa ziet mijn verwarring. Ik begin direct te stotteren. 'Ik heb een hele poos bij school gewacht... eerlijk waar. Zijn juf dacht ook... nou ja, Dennis is hier toch al wel?'

Opa probeert me gerust te stellen. Hij neemt me mee naar binnen en pakt de jas aan. 'Misschien heb ik het niet goed gezien. Er is zoveel visite gekomen. Maak je maar niet direct bezorgd, meiske. Bovendien, die aap van een jongen loopt heus niet in zeven sloten tegelijk.'

'Mamma zegt dat hij dat juist wel doet, als we niet goed op hem passen.'

Opa begint te lachen. 'Wie geloof je liever: je moeder of mij? En waar zijn die zeven sloten, die zo vlak bij elkaar zijn, dat je in alle zeven tegelijk kunt liggen?'

Nu moet ik ook lachen. Opa tikt met zijn vinger even tegen mijn wang.

'Maak je maar geen zorgen om Dennis. Die komt wel weer boven water, zelfs als hij in de sloot ligt,' mompelt hij. 'Wat een drukte allemaal, en dat voor een verjaardag. Nou ja, vijfenzestig worden, dat is ook niet niks.'
Opa loopt voor me uit door de gang. Het huis is niet echt groot, maar ik vind het wel deftig.

Ineens blijft hij weer staan en draait zich naar me toe. Op geheimzinnige toon fluistert hij: 'Heb je de advertentie over oma gezien in de krant?'
'Nee!'
Ik zie ondeugende pretlichtjes in zijn ogen. Dan duwt hij me zachtjes in de richting van de grote kamer.
'Je oma houdt helemaal niet van zulke dingen, maar ja, dat wisten onze buren niet. Die jonge mensen hebben haar met foto en al in de krant gezet. Er hebben zelfs onbekende mensen opgebeld om haar te feliciteren. Een geintje natuurlijk, maar je oma houdt niet erg van zulke grapjes.'
Ik moet om opa lachen, hij doet altijd zo heerlijk samenzweerderig.
'Weet je, Cathy, ga jij je oma maar feliciteren, dan kijk ik of Dennis er misschien toch al is. Wie weet is hij wel in de appelboom geklommen.'
Ik blijf nog even staan. Opa loopt door de keuken de achtertuin in. Als ik hem niet meer zie, doe ik de kamerdeur open en loop naar binnen. Oma? Waar is ze?

Ik zie haar bij de tuindeur staan. Het is drukker dan anders op een verjaardag van oma. Oma heeft haar zondagse jurk aangetrokken. Ik snap niet dat ze zo'n jurk mooi vindt. Er zitten van die gekke knoopjes aan. Mamma zegt dat het oma-mode is! Oma staat daar echt jarig te zijn. Dat kan je zo zien. Ze heeft net een cadeautje gekregen van een van haar vriendinnen. Ik ken ze wel. Hoe heet die ene vrouw ook al weer? O ja, ik mocht tante Ien tegen haar zeggen. Oma is één en al lach en toch is haar lach lang niet zo echt als die van opa. Hij is gemaakt. Ik vind oma helemaal gemaakt. Haar gezicht zit verstopt onder haar make-up. Ze is altijd bruin, zelfs in de winter. Haar haar is lichtblauw geverfd. Dat vindt oma chic, maar ik vind het net een pruik, zo nep. De lijntjes van oma's wenkbrauwen heeft ze gewoon op haar gezicht getekend. En dan struikel je bijna over haar felle rode lippen.

De vriendinnen blijven bij oma staan. Ik vind het maar niks om juist nu naar oma toe te moeten lopen om haar te feliciteren. Die vrouwen stellen altijd van die vervelende vragen.
'Hoe is het met je moeder, Cathy?'
Dan weet ik nooit wat ik moet antwoorden.
Maar oma ziet mij staan. Ze spreidt haar armen enthousiast uit. Ik ben bang dat ze door haar knieën wil zakken. Belachelijk, ze doet net alsof ik een kleuter ben. Ik hoor haar roepen:
'Meiske, wat leuk dat jij ook even bij oma langskomt.' Deze show is voor haar vriendinnen, want ze kijkt al niet meer naar me. Al haar aandacht is voor haar vriendinnen, al gaat het nu over mij:
'Het is zo flink van ze. Margreet had al tegen me gezegd: Dennis en Cathy komen samen uit school naar je toe.'
Nee, ik denk niet dat ik nog in oma's armen hoef te vallen. Ze ratelt maar door.
'Zeg Ien, je kent mijn kleindochter toch nog wel? Ja, ze is veranderd, hè? Ze wordt groot. Volgend jaar gaat ze al naar de middelbare school. Zeg Paulien, Cathy is toch net zo oud als Paul van Gerda? Hoe gaat het met die jongen? Hij kon toch zo verschrikkelijk goed leren?'

Ik loop naar oma en steek mijn hand uit om haar te feliciteren. Oma drukt me tegen zich aan. Met mijn andere hand hou ik het cadeautje vast. Ik bereken de kans dat ik oma nog moet zoenen. Als die andere vrouwen maar niet gekust hoeven te worden, dan kom ik er genadig van af. Als oma mij weer wat ruimte geeft, bied ik haar gauw het cadeautje aan. Gelukkig, geen gezoen.

'Cathy, ik zie Dennis nergens,' zegt oma. Ze kijkt in het rond en dan naar mij. Ik ken dit. Nu lijkt ze sprekend op mamma. Ze controleert of ik wel goed op Dennis pas.

'Je hebt toch wel samen met je broertje dit cadeautje voor me gekocht?' is de volgende vraag. Er wordt wat gekletst tussen oma en mamma. Ik voel me in het nauw gedreven. Want wat moet ik zeggen? Mijn antwoord zal haar niet bevallen. Wat voor mamma geldt, geldt meestal ook voor oma.

'Opa is Dennis aan het zoeken,' ontwijk ik het juiste antwoord.

Oma kijkt de tuin in. Ik zou niet weten waarom, maar Dennis is haar lieveling. Dat is altijd al zo geweest. Pappa en mamma zijn anders tegen Dennis gaan doen door die meneer van de Riagg, maar oma heeft Dennis altijd al voorgetrokken. Oma wil er ook niets van weten dat Dennis soms zo druk kan zijn of zoveel problemen kan geven op school. Alles wat Dennis doet, vindt oma leuk. En dat weet Dennis... en ik ook. Oma is zíjn oma, maar geef mij opa maar!

Oma zoekt opa. De dames zijn al net zo nieuwsgierig. Ik vraag me af of er nog een gebakje in zit. Waarom stond Dennis niet gewoon bij het hek? En waarom is hij niet hier, als hij wel direct uit school naar oma is gefietst? Die zeven-sloten-grap van opa heeft mijn schrik en ongerustheid over Dennis even weggeblazen. Maar nu ik erover nadenk, vind ik het toch wel vreemd dat Dennis er nog niet is.

Opa heeft het zoeken naar Dennis blijkbaar opgegeven. Oma ziet hem praten met een buurman achter in de tuin. Hij rookt zijn pijpje. Als hij oma ziet wenken, komt hij onze kant op.

'Is Dennis er nu wel of niet? Ik wil het cadeautje van de kinderen openmaken, maar dan moet Dennis er ook even bij komen,' zegt oma.

'Ik geloof niet dat de jongen er is. Hij stond weer eens niet bij het hek hè, Cathy?' helpt opa me een beetje. Opa is niet ongerust over Dennis, maar hij is ook niet boos op mij.

'Ik heb meer dan een kwartier gewacht,' probeer ik dan maar. 'Toen kwam juf Bonnema en die zei dat Dennis allang hiernaartoe was gefietst. Ik begrijp het ook niet.'

'Het is ook altijd hetzelfde liedje met jou, Cathy,' zegt oma met een donker gezicht. 'Dit is deze week al eerder voorgekomen, is het niet? Leer je dan niet van die andere keren? Je moet wachten op Dennis.'

'Dat heb ik ook gedaan...'

'Je moet naar je moeder luisteren en niet naar zo'n...'

De bel gaat. Lang, doordringend. Opa gaat opendoen. Ik denk dat ik weet wie daar aan de bel hangt. Met jas en al rent Dennis even later de kamer in. Hij kijkt me niet aan als hij vlak voor me langs naar oma vliegt om haar om de hals te vallen, en roept:

'Oma, Cathy stond niet bij het hek. Ik heb niet mee kunnen helpen om een cadeautje voor u te kopen. Ze wilde dat vast liever alleen doen, maar oma...'

Dit is te gek!

'Ik stond wél bij het hek, Dennis, maar jij was er niet! Je had best mee...'

Dennis let niet op me. Hij kijkt naar oma, die hem vertederd in haar armen sluit en naar hem luistert.

'Maar ik heb mijn eigen cadeau.'

Uit zijn jaszak haalt hij een poppetje van klei. De verf is nauwelijks droog. Ik zie hoe de verf plakt aan zijn handen.

'Gefeliciteerd, oma!' roept Dennis enthousiast. 'Vindt u het mooi? Ik heb het net op school gemaakt, maar ik kon het niet zo gauw inpakken.' Er klinkt om me heen vriendelijk gelach van de volwassenen. Maar ik kook van woede.

'Lieve schat van me,' zwijmelt oma. Ze geeft Dennis een knuffel.

Mijn broertje gluurt tussen oma's armen door. Hij kijkt me uitdagend aan. Ineens begrijp ik het.

'Je deed het expres!' roep ik kwaad. 'Dat deed je expres! Vuile toneelspeler!'

'Cathy!' hoor ik oma's stem.

Maar ik ben zo boos dat het me allemaal niets meer kan schelen.

'Ik heb jou door, jochie,' roep ik opgewonden. 'Je bent eerst in school achtergebleven tot je juf weg was, en toen heb je dit klei-werkje stiekem uit de klas gehaald. Daarom stond je niet bij het hek. Daarom dacht juf Bonnema dat je weg was en... en daarom was je nog niet hier...'

Ik hoor weer oma's boze stem. Ik moet mijn mond houden.

'Je wilt me voor paal zetten, hè? Expres!'

'Cathy! Nu voor de laatste keer...'

'Rotjoch, ik krijg je nog wel, ik...'

Dennis knippert nerveus met zijn ogen. Het wordt oma allemaal te gortig. Ze pakt me stevig bij de arm. 'Hou onmiddellijk op!' commandeert ze.

Wat heb ik gedaan? Wat heb ik gezegd? Ik moet hier weg. Als ik nu nog iets zeg... Wegwezen, voor ik een echte ordinaire schreeuwlelijkerd ben. Ik wil me omdraaien, maar oma houdt me tegen.

'Jij zegt vreselijke dingen, Cathy!' Met koude ogen kijkt ze me aan. 'Altijd je broertje de schuld geven. Jij zou echt beter moeten weten.'

'Ik heb wél op Dennis gewacht. Hij stond niet bij het hek, oma!' De tranen springen me in de ogen. 'Hij deed het expres. Zo stom doet-ie altijd.' Ik begin te huilen. 'Hij is zo gemeen, soms zo ver-schrikkelijk gemeen...'

'Cathy, weet je wat ik gemeen vind?' Oma's stem klinkt hoog. Ze moet erg boos op me zijn. 'Dat je zulke nare dingen denkt van je broertje. En dat je nota bene ruzie staat te maken op mijn verjaar-dag. Schaam jij je niet een beetje? Nu heeft iedereen gezien wat voor een kleine egoïst jij bent. Ga alsjeblieft ergens zitten naden-ken en kom straks je excuus maken.'

Alsof oma het hiermee heeft opgelost, verandert ze van toon. Mij kijkt ze niet meer aan, maar tegenover haar vriendinnen maakt ze omslachtig haar excuus en mompelt iets over opvoeding. Daarna wijdt oma zich aan Dennis. Ik hoor haar vragen:
'Zo lieverd, nu moet jij oma nog eens vertellen hoe je dit mannetje van klei hebt gemaakt.'

Ik druip af. Waarom is opa nu niet in de buurt? Hij had me kunnen helpen. Ik weet niet waar ik moet gaan staan. Mamma en pappa komen pas na vijf uur. We zijn uitgenodigd om bij oma te blijven eten. Ik moet er niet aan denken.
Ik word ook niet eens meer blij als ik eraan denk dat we gisteravond alle wedstrijden hebben gewonnen en dat Gerben zo leuk tegen me deed. Waarom werd ik zo boos op Dennis? Wat is er met me aan de hand? Ligt het nog aan Dennis of aan mezelf? Ik kan mamma maar niet uitleggen dat ik het echt niet kan helpen dat het zo vaak misgaat tussen Dennis en mij. En iedereen zich maar zorgen maken over Dennis en zijn handicap. Stomme rothandicap.
Ik voel me ziek. Ik wil naar huis. Mamma is nog thuis. Misschien ben ik echt ziek. Dat kan toch?
Zachtje loop ik de kamer uit, naar de gang. Een rustig plekje om na te denken? Nee, ik pak mijn jas. Ik ga niet meer naar binnen om het tegen opa of oma te zeggen. Ze merken het vanzelf of ze horen het straks van mamma. Stilletjes sluip ik het huis uit.

Als ik even later op mijn fiets zit, voel ik me echt ziek worden. Nee, dát kan niet! Morgen gaan we naar Pieterburen en morgenavond moet ik meespelen. Ik moet van Gerben de eer van de straat hoog houden. Maar mijn hoofd bonkt en mijn maag draait zo vreemd. Dit heeft één voordeel: mamma zal wel geloven dat ik echt te ziek ben voor het feest van oma. Ik ben zelfs te ziek voor een gebakje.

HOOFDSTUK 6

E indelijk is het zaterdag geworden. Met de auto van tante
Henneke zijn we op weg naar Pieterburen. Lotte is er ook
bij. Er zit regen in de lucht, maar voorlopig hebben we genoeg
aan een warme trui. Onze regenkleding ligt achter in de koffer-
bak. De stemming zit er goed in. We vinden het alledrie een feest
om er samen op uit te gaan. Het is ook niet de eerste keer dat
tante Henneke ons meeneemt met haar auto. We zijn ook eens
samen naar Bronkhorst geweest. Dat is het kleinste stadje van
Nederland, zeker anderhalf uur rijden bij ons vandaan. Ik weet
nog dat we, zomaar voor de lol, een paar keer met een pontje
heen en weer zijn gevaren over de IJssel. Wat hebben we toen
samen gelachen om de veerman.
'Heb ik de dames niet al eerder gezien vandaag?' vroeg hij ons.
Maar tante Henneke beweerde dat hij vast onze tweelingzussen
had overgebracht. Die zouden, volgens haar, ook in Bronkhorst
rondzwerven. De veerman begreep wel dat het maar gein was en
vroeg toen een liedje als prijs voor de onnodige overtocht. Lotte
zette meteen in: 'Schipper, mag ik overvaren? Ja of nee?'
Tijdens de terugreis had tante Henneke ons nog getrakteerd bij
MacDonalds. Lotte en ik vonden dit leuker dan een schoolreisje.

Nu gaan we naar Pieterburen. Dat ligt helemaal aan de rand van
de provincie Groningen, tegen het water van 't Wad aan. Tante
Henneke heeft ons haar voorraad drop in de auto al aangewezen.
'Jullie nemen maar. Je hoeft niet op mij te wachten, want ik mag
niet zoveel zout hebben. Het is zeker wel een uurtje rijden, dus
snoep er maar lekker van. Ik heb de drop speciaal voor jullie
gekocht.'
Lotte mag de heenreis voorin en ik de terugreis. Achter in de auto

ligt ook de inklapbare rolstoel van tante Henneke. Lotte en ik zullen haar om beurten duwen. De auto van tante Henneke is helemaal aangepast aan haar handicap. Ze hoeft haar benen niet te gebruiken. Met haar handen kan ze alles: sturen, gas geven, maar ook remmen en schakelen. De auto is een echte uitkomst voor tante Henneke, want ze gaat er graag op uit. Naar haar familie of vrienden. Soms gaat ze naar de schouwburg of bioscoop, maar Hen gaat ook wel eens naar een conferentie. Dan moet ze meedenken en meepraten over ontwikkelingshulp aan arme landen. Tante Henneke heeft Lotte verteld dat ze niet alleen in India gewoond heeft, maar ze heeft er ook gewerkt. Ik wist dat tante Henneke als fysiotherapeut gewerkt heeft in verschillende landen. Daarom hangen er in haar huis ook allerlei voorwerpen uit die verre vreemde landen. De laatste zeven jaar heeft ze dus in India gewerkt, onder de leprozen.

Lepra is een ander woord voor melaatsheid. Tante Henneke heeft Lotte uitgelegd dat mensen met deze ziekte delen van hun lichaam niet meer kunnen voelen. De zenuwen gaan dood en daarna ook de zieke delen van het lichaam zelf. Dan verliezen mensen bijvoorbeeld zomaar een vinger of hun teen of hun neus. Omdat lepra besmettelijk is, mogen melaatsen niet thuis blijven wonen. Ze moeten naar speciale gebieden verhuizen. Zo'n gebied noemen ze een leprakolonie. En in zo'n kolonie heeft tante Henneke dus gewerkt.

Nou, dat zou niets voor mij zijn. Het lijkt me maar een enge ziekte. Maar voor die zieke mensen moet het wel fijn geweest dat tante Henneke hen wilde helpen. Ik kijk even naar haar. Ze zit zo enthousiast met Lotte te praten. Tante Henneke vindt het gewoon leuk om iets voor een ander te doen. Stel je eens voor dat ik ziek was en in India woonde... Ik vind het al zo fijn om tante Henneke als buurvrouw te hebben. Tante Henneke is India en de leprozen niet vergeten, ook al woont ze nu al weer drie jaar in Nederland. Ze schrijft nog steeds met hen. Ik zie vaak genoeg enveloppen met buitenlandse postzegels op haar werktafel liggen.

Het leek er eerst even op dat ik helemaal niet mee zou mogen naar Pieterburen. Gistermiddag heeft mamma me meteen in bed gestopt. Ze had haast en daarom vroeg ze niet veel. Ik heb haar toen ook niets verteld over wat er bij oma gebeurd was. Ik was allang blij dat ik in bed lag. Tegen negen uur kwamen ze weer thuis. Nadat Dennis door mamma in bed gestopt was, kwam mamma bij me kijken. Ik lag toen juist lekker op mijn zij een boek te lezen. Het was net of mamma me betrapte op iets oneerlijks. Zo reageerde ze ook.

Ze had natuurlijk alles gehoord van oma. Daarom geloofde ze niet dat ik echt ziek was. Ze dacht, net als oma, dat ik expres oma's verjaardag had bedorven.

'Je loopt liever stiekem weg, dan je excuus te maken tegenover oma,' zei ze tegen me.

Toen ze even later vroeg hoe ik me voelde, vond ik het moeilijk om toe te geven dat mijn misselijkheid en hoofdpijn verdwenen waren. Bovendien had ik honger gekregen, want na school had ik niets meer gegeten of gedronken.

Juist op dat moment ging de telefoon. Ik hoorde dat mamma tante Henneke aan de lijn had. Die vroeg natuurlijk of ik mee mocht naar Pieterburen. Maar mamma voelde daar weinig voor. Ze zocht een straf. De moed zonk me in de schoenen, toen ik hoorde wat ze tante Henneke antwoordde:

'Je moet weten, Hen, dat Cathy vanmiddag ziek thuis gekomen is van het feest van mijn moeder. Ja, die was jarig. Dank je. Nee, ik denk niet dat ze morgen al weer fit genoeg is om met je mee te gaan.' Blijkbaar heeft tante Henneke het daarbij gelaten, want het telefoongesprek hield snel op. Mamma kwam bij me terug en haar ogen zeiden genoeg: geen eten, geen zoete broodjes bakken. Niet samen iets goedmaken en dus morgen niet naar Pieterburen.

Later, toen mamma al naar beneden was, ging mijn deur weer

open. Dennis kwam zachtjes binnen. Ik hield me slapend, maar hij stootte me aan.

'Cathy, kijk!' In zijn hand lagen vier in elkaar gedeukte kersenbonbons. Mooi ingepakt in een glimmend rood papiertje.

'Wat moet ik ermee?' vroeg ik.

'Opeten natuurlijk!'

'Daar heb ik nogal wat aan,' antwoordde ik boos. Toen legde Dennis de bonbons naast mijn kussen en sloop zachtjes mijn kamer weer uit.

Ik heb er alleen maar naar gekeken en proefde het zout van een traan.

Maar vanochtend was er iets veranderd. Ik begreep dat tante Henneke nog laat op de avond bij pappa en mamma geweest is. Ik weet niet precies wat ze tegen elkaar gezegd hebben, maar het heeft wel geholpen. Vanmorgen zei mamma ineens:

'Cathy, tante Henneke rekent straks wel op jou. Ik heb begrepen dat je voor volgende week een werkstuk moet maken voor school en dat daarom het bezoek aan Pieterburen door moet gaan. Blijf eens even rustig zitten, Dennis, en nu niet zoveel praten, maar eerst je bord leegeten,' zei mamma. Dennis was al vier keer van tafel opgestaan. Dan voor de melk, dan voor een boek en dan weer om naar de wc te gaan. En iedere keer met een hap brood in zijn mond. Nu hield mamma hem een poosje vast bij zijn schouders.

'Lotte mag ook met jullie mee. Maak er samen maar een mooie dag van, maar zorg wel dat jullie vanmiddag bijtijds terug zijn voor de volleybalwedstrijd.'

Ik heb mijn moeder verbaasd aangekeken, want ze kwam naar me toe en gaf me zomaar een zoen op mijn hoofd. Dennis was niets ontgaan en hij begon gelijk enthousiast mee te praten. Hij hield ook zo van zeehonden en zou ik niet voor hem iets willen meebrengen uit het centrum? Een informatieboekje of een folder. Er moesten daar ook leuke posters van zeehonden te koop zijn. Erik had zo'n poster.

Ik beloofde voor hem iets mee te brengen uit het centrum. Toen glom Dennis op zijn bekende Dennis-manier: van oor tot oor. Ik smolt een beetje. Ach, soms was hij best aardig, die Dennis. En, hij had het toch goed bedoeld met die vier bonbons. Die hadden vast in zijn broekzak gezeten, want ze waren niet om aan te zien. Typisch mijn broertje. Niet nadenken, maar doen.

Toen hebben we met z'n drietjes ontbeten. Pappa en Marc lagen nog te knorren. Zo gezellig was het lang niet meer geweest. Dennis deed zijn best om keurig aan tafel te blijven zitten, tot hij mamma en mij aan het lachen maakte, doordat hij weer eens de clown uithing. Hij deed precies voor hoe oma gisteren haar visite bedankte voor hun komst. Het leek alsof zo die hele nare middag bij oma uitgewist werd.

En nu kan mijn dag niet meer stuk! Op weg naar Pieterburen. In mijn rugzak heb ik een schrift met een pen. Na het eten heb ik samen met mamma vragen bedacht over mijn onderwerp. De auto van tante Henneke rijdt heerlijk. We zingen af en toe samen liedjes en Hen zingt dan de tweede stem. Dat klinkt leuk. Hoe dichter we bij het Wad komen, hoe smaller de wegen worden. Op het laatst rijden we over een smal weggetje dat op een grijs lint lijkt. Slordig neergelegd in de weilanden. We komen ook door kleine dorpjes. We zien van alles: een oud schooltje dat inmiddels verbouwd is tot een kantoor. Een kerkje dat een atelier geworden is. Een rijtje oude zeemanshuisjes. Zulke kleine huisjes. In gedachten zie ik alles voor me, waarover tante Henneke vertelt: spelende kinderen, werkende moeders op het land, vaders die het Wad opgaan om te vissen en toch met z'n allen wonen en slapen in die muizenhuisjes.

Ineens zijn we er!
Tante Henneke rijdt de parkeerplaats op van de zeehondencrèche. We zien vlaggen wapperen in de wind. Hier in Pieterburen waait het altijd. Lotte en ik halen de rolstoel uit de wagen en zetten

hem in elkaar. Tante Henneke probeert ondertussen uit de wagen te komen.

'Heb jij je pen en papier in de aanslag?' vraagt tante Henneke. Ik houd mijn schrift omhoog.

Dan wandelen we het centrum binnen. Eerst komen we in een grote hal. Overal staan borden met informatie over 't Wad en de zeehonden. Er staat ook een grote maquette van de waddenzee.

'Waar moeten we beginnen?' vraagt Lotte. Door het glas heen zien we de keuken en een soort zwembad. Maar dan ineens zien we de eerste zeehond. Hij ligt achter het volgende raam. We vergeten alles. Zelfs om tante Henneke mee te nemen. Lotte en ik rennen op het raam af en laten ons er vlak voor op onze buik vallen. De zeehond ligt nu vlakbij en we kunnen hem heel goed zien. Hij kijkt ons met grote bruine en zulke onschuldige ogen aan.

'Die ogen! Cathy, moet je zien,' zucht Lotte naast me. 'Net een baby of... een hond. Nee, hij is nog mooier dan een hond.'

Ik kijk alleen maar. Nooit geweten dat zeehonden zo mooi zijn. En wat een indrukwekkende snor. Zulke grote beesten zwemmen nota bene in onze Waddenzee. Ik smelt helemaal weg.

Er komen meer mensen achter ons staan. Het wordt de zeehond blijkbaar iets te veel, want hij begint te bewegen. Onhandig verplaatst hij zijn zware lijf naar de rand van het bad. Maar als hij even later het water in zoeft, zie je precies waar de zeehond het beste thuis is: in het water. Het kleine kopje komt al snel weer boven en Lotte en ik wuiven spontaan naar hem. Dan schrikken we: tante Henneke? Waar hebben we die gelaten?

Als we tussen de mensen door kijken, die achter ons staan, zien we haar wagentje vlak bij ons. Tante Henneke is druk in gesprek met een meneer van het centrum en we gaan naar haar toe.

'Waarom noemen jullie die jonge zeehonden "huilers"?' horen we haar vragen.

'Nou mevrouw, als zo'n jong zijn moeder is kwijtgeraakt, dan maakt het een huilend geluid. We horen het als het ware huilen.'

'Krijgt u hier meestal jonge zeehonden?' vraagt een meneer die

naast tante Henneke staat. Tante Henneke gebaart dat ik dingen moet opschrijven en Lotte luistert vanaf nu voor twee. Het belangrijkste herhaalt ze voor me en ik pen alles zo snel mogelijk neer: 'Nee hoor! Er komen niet alleen huilers, maar ook zieke zeehonden. Maar om eerst even bij de huilers te blijven: zonder de moeder is een zeehondenjong ten dode opgeschreven. U weet dat de zeehond een zoogdier is en geen vis?' De medewerker van het centrum is duidelijk gewend om mensen toe te spreken.
'Moedermelk van zeehonden is ontzettend vetrijk. Al die vetten heeft de jonge zeehond nodig voor zijn groei. Speciaal voor de aanmaak van zijn dikke vetlaag. Een zeehond is immers zomer en winter in het water. Zijn vetlaag beschermt hem tegen de kou. Veel huilers komen hier omdat ze ondervoed zijn. Ze gaan zonder moeder dood ten gevolge van onderkoeling en verdrinking.'
'Kunnen ze zelfs verdrinken?' vraag ik verbaasd.
'Ja! Een zeehond kan heel goed onder water zwemmen, maar hij heeft net als wij longen en daarom heeft hij lucht nodig. Zee-

honden passen heel goed bij het Wad. Daar zijn immers grote droge zandvlakten en er is veel water. De zeehond heeft beide nodig.'

'En de zieke zeehonden dan?' hoor ik een meisje van mijn leeftijd vragen. Ze staat met haar moeder aan de overkant van het groepje. In haar hand houdt ze een bruine envelop en maakt daar aantekeningen op.

'We komen hier allerlei ziekten tegen. Maar de meest voorkomende ziekte onder zeehonden is een aandoening van de luchtwegen en het maagdarmstelsel, ten gevolge van de watervervuiling. Omdat het vaak om besmettelijke ziekten gaat, verzorgen we de zeehonden eerst in quarantaine. Dat is een box, waar we één zeehond apart in kunnen verzorgen. Zoals bijvoorbeeld Leentje. Zij zit in die ene box daar.' De man wijst naar de overkant van de grote hal. 'We gaan Leentje zo voeden. Als u dat wilt zien, houd u dan de tijd in de gaten.'

Er komen steeds weer nieuwe vragen, maar Lotte en ik willen ook even buiten de hal gaan kijken. Wat ooit met één zeehondje in een simpele zinken teil in de achtertuin begonnen is, is uitgegroeid tot een zwemparadijs voor zeehonden. De voorlichter van het centrum loopt met de mensen mee naar buiten en vertelt van alles over het werk in Pieterburen.

'Tweeduizend,' hoor ik Lotte herhalen.

'Tweeduizend wát?'

'Er zijn nu weer meer dan tweeduizend zeehonden in de Waddenzee. Tien jaar geleden waren het er nog maar zeshonderd. Geweldig, hè? Ik zou hier later best willen werken,' zegt Lotte.

'Anders ik wel. Het lijkt me tof om hier verzorger te zijn.'

'Deze huiler is nog erg jong,' wijst de man even later op een bijna witte zeehond. 'Dat kan je zien aan zijn vacht. Zeehonden worden wit geboren en later worden ze grijs. Dit witte bont is niet alleen erg mooi, maar ook erg gewild. Er bestaan nog steeds mensen die jonge zeehonden doden of soms levend villen, enkel en alleen om hun vacht.'

Lotte en ik kijken elkaar even aan. We griezelen ervan. Hoe kunnen mensen dat doen? Even later zien we datzelfde zeehondje tekeergaan. Het moet gevoerd worden. Iemand probeert het een vis in de bek te stoppen, maar dat lukt niet. Er moet nota bene een verzorgster bovenop de zeehond gaan zitten om het beest in bedwang te houden. Nu kan het geen kant meer op en iemand anders duwt een vis naar binnen. Hele en levende vissen. Zo is de natuur!

Later bekijken we ook de film over het centrum en het Wad in de kleine bioscoopzaal van het centrum. Ik heb ontzettend veel opgeschreven. Maar het allermooiste van deze dag was de eerste kennismaking met een echte zeehond. Die prachtige grote ogen zal ik niet snel vergeten. Als we eindelijk klaar zijn, zegt tante Henneke dat we een speciale map mee kunnen krijgen met informatie en plaatjes over de crèche. Daar gaan we nog om vragen.

Dan herinner ik me dat ik voor Dennis nog iets zou meenemen. Ik heb niet veel geld meer, maar tel twee euro en vijfentachtig cent uit. Ik kan daar net een kleine poster van een witte zeehond voor kopen.

'Leuk, Cathy,' zegt tante Henneke. 'Is die voor op je kamer?'

'Nee, deze is voor Dennis!'

'Voor Dennis? En dát van je eigen zakgeld? Waar heeft je broertje dat aan te danken?'

'Ach, hij is soms best wel lief,' zeg ik.

Dan geeft ze me een knipoogje en zegt:

'Dat is-ie!'

HOOFDSTUK 7

I k moet lopend naar het winkelcentrum. Dat is balen. Mamma kan het zo leuk brengen: 'Wil je even een pak melk halen,' maar zelf gaat ze ook niet lopend naar de winkel. Op de fiets is het best te doen, maar... Ik loop al minstens tien minuten en ben nog maar halverwege. Dennis heeft mijn fiets meegenomen! Ongevraagd! Zijn eigen fiets staat sinds zaterdag met een lekke band in de garage. Pappa is er nog niet aan toegekomen om de band van Dennis te plakken. Hij heeft het druk op zijn werk. Het zal wel weer weekend worden. Nu moet Dennis bij mij achterop naar school. Ik hoop dat mijn banden sterk genoeg zijn.
Dennis mag sinds kort van mamma alleen naar judo. De sporthal is vlak bij ons huis. Dus Dennis had makkelijk kunnen lopen...

We zijn geen winnaar geworden met het stratenvolleybaltoernooi. We werden zelfs derde. Het kwam natuurlijk doordat we Philip Rozenveld misten. Alle wedstrijden wonnen we met gemak, maar in de kwartfinale ging het mis. We dachten onze tegenstanders makkelijk te kunnen verslaan, maar dat pakte anders uit. Die ene wedstrijd mochten de wisselspelers meespelen. Het is gelukkig niet door mij gekomen dat we verloren hebben, maar er werden gewoon stomme fouten gemaakt. Gerben liep rood aan van ergernis, terwijl ook zijn eigen opslag een keer in het net belandde. Na tien minuten speeltijd stonden we met 4 - 11 achter.
Vlak voor het eind kreeg ik de opslag. Ik heb toen drie punten achter elkaar gemaakt. Dat bracht de stemming weer een beetje terug, maar helaas te laat. Die gekke Gerben. Hij kwam me zelfs uitgebreid zoenen toen ik het derde punt maakte. Nou ja, op mijn wang natuurlijk, maar ik werd wel knalrood.
En tante Henneke ging helemaal uit haar dak toen ik aan de

opslag was. Ze sloeg zo hard ze kon op haar trommels. Ook Dennis en pappa en mamma schreeuwden hun kelen schor. Maar we konden niet meer winnen. Toch, het meespelen ging gewoon heerlijk. En later vroeg mamma me of ik Gerben een aardige jongen vond. Ik vond het een stomme vraag en heb haar niet eens een antwoord gegeven.

Dennis moet toch naar een andere school. Dat hebben pappa en mamma met tegenzin besloten. Mamma is de laatste week bij verschillende scholen in de omgeving geweest om er te kijken. Ze vindt niet één school goed genoeg. Er wordt thuis over bijna niets anders meer gepraat dan over Dennis en speciale scholen. Zoals afgelopen zondag toen oom Karel en tante Els bij ons waren. Tante Els werkt zelf op zo'n school. Ze kon er heel veel over vertellen en dat deed ze ook. Maar ik vond er niks aan. Het was helemaal niet gezellig en ik ben 's middags maar naar Lotte gegaan om daar te spelen.

Mamma vindt het het ergst dat Dennis niet in ons dorp kan blijven. Ze denkt dat Dennis daardoor minder makkelijk vrienden kan maken met de jongens in het dorp. Het is ook een raar idee: straks is Dennis de hele dag van huis. Hij wordt 's morgens opgehaald en pas 's middags weer thuisgebracht. Met een autobusje. Schoolvervoer heet dat.

Gisteren zag ik voor het eerst zo'n busje rijden. Ik vond dat er zulke aparte kinderen in zaten. Toen dacht ik: Zouden andere mensen dat nu straks ook van Dennis denken? Zoiets van: "Wat een apart joch is dat?" Hoe zou Dennis het zelf vinden dat hij naar een andere school moet? Hij doet steeds net alsof hij al die gesprekken in huis niet hoort, maar is dat ook zo?

Vanmorgen is mamma voor de vierde keer naar een school geweest. Juf Bonnema wil graag dat Dennis naar deze school gaat. Zij ziet geen problemen, maar denkt dat Dennis het juist leuker krijgt op een speciale school. Leuker dan bij ons. Nu krijgt Dennis vaak straf. Hij zit vaak voor straf op de gang. Misschien is zo'n speciale school toch wel fijner voor hem. Daar valt zijn drukke gedrag misschien minder op.

Ik ben bijna bij de winkel. Nog even de grote weg oversteken en ik loop de supermarkt binnen. De melk staat gelukkig vooraan. Als ik even later bij de kassa sta, zie ik dat er iets te doen is bij een van de kassa's. Er staan twee oudere vrouwen met hun winkelkarretjes en een paar kinderen. De bedrijfsleider staat er ook bij.

Als ik de melk betaald heb, moet ik erlangs lopen om buiten te komen. Dan zie ik ineens Dennis staan. Ik hoor de bedrijfsleider aan hem vragen:

'Nou, zeg op, hoe kom je aan dit pakje sigaretten?'

Dennis heeft een pakje sigaretten in zijn hand. Ik schrik ervan. Maar Dennis zelf kijkt de bedrijfsleider aan en zegt rustig: 'Nou gewoon, die heb ik voor mijn vader gekocht bij het sigarenwinkeltje hier op het plein, meneer.'

Sigaretten voor pappa? Die rookt niet eens!

De oudere dames kijken erg verontwaardigd naar Dennis en het andere ventje.

'Daar klopt helemaal niets van!' roept een van hen op hoge toon. 'We hebben zelf gezien dat dit jochie de sigaretten uit het rek nam en ze in zijn zak stak. Nietwaar, mevrouw Kolenbrander?'

De andere vrouw knikt heftig. 'Ze pakten het heel handig aan, meneer. Terwijl dat jongetje daar zijn snoep afrekende, kon de ander ongemerkt iets pikken. Als wij niet net achter hen stonden en daar precies oog op hadden... Kijk, een ander zou er misschien niets van zeggen, maar wij horen nog tot de generatie die vindt dat je kinderen moet opvoeden. Het is toch schandalig, zulke kleine kinderen en nu al aan het stelen,' meent mevrouw Kolenbrander. Ze schudt haar grijze hoofd.

De bedrijfsleider krabt eens achter zijn oren. Hij vertrouwt het zaakje niet, maar hoe kan hij dit hard maken? Hij probeert iets anders: 'Heb je een bonnetje van de winkel waar je dit gekocht hebt?'

'Nee, ik heb geen bonnetje gekregen. Dat doen ze daar nooit,' zegt Dennis. Dan ziet hij mij. 'Cathy,' roept hij opgelucht. 'Cathy, kom 's even. Ze geloven niet dat ik sigaretten moest kopen voor pappa. Nu denkt deze meneer dat ik ze hier gepikt heb. Kan jij niet even zeggen hoe het zit?'

Ik voel me vuurrood worden. Ineens zijn alle ogen op mij gericht. Moet ik antwoord geven? Ik weet helemaal niet wat ik moet zeggen of denken. Hakkelend zeg ik:
'Jij moet... je moest toch naar judo?'
Het slaat nergens op, maar ik weet echt niet wat ik moet zeggen. Het gaat me te ver om mijn broertje te laten vallen, maar liegen wil ik niet. Toch lijkt Dennis geholpen met mijn stomme antwoord.
'Dát ben ik helemaal vergeten! Ik kom te laat voor judo.' Dennis begint onrustig druk te doen. Hij wil graag de winkel uit.
'Zal ik u dit pakje dan maar geven, als u me toch niet gelooft? Dan moet mijn vader het zelf maar ophalen. Misschien gelooft u me dan. Maar nu moet ik echt weg. Mag ik alsjeblieft gaan?'
De bedrijfsleider neemt de sigaretten aan en kijkt verbaasd van de kinderen naar de vrouwen. Daar maakt Dennis handig gebruik van.
'Ik heb heus niets gestolen, meneer. Dat zou ik niet eens durven. We mogen niet stelen van pappa en mamma, hè Cathy?'
Weer kijken ze mij aan. Ik ben nu echt de grote zus van Dennis. Het zweet breekt me uit. 'Nee...' Het zal wel verschrikkelijk schaapachtig klinken, maar ik hoor mezelf zeggen: 'Wij mogen niet iets pikken...'
Of Dennis nu denkt dat hij iedereen overtuigd heeft of dat hiermee de kous af is, ik weet het niet. Hij groet en neemt vervolgens de benen. En ik, dom schaap, weet niets beters te doen dan achter mijn broertje aan te gaan. Ook het vriendje van Dennis hobbelt de winkel uit, maar eenmaal buiten is hij meteen verdwenen. Door het winkelraam zie ik hoe de bedrijfsleider zijn schouders

ophaalt, terwijl de vrouwen boos proberen uit te leggen dat ze niet gek zijn en heus wel weten wat ze gezien hebben.

Ik heb Dennis snel ingehaald. Hij heeft mijn fiets al van het slot gehaald en wil ermee weg, maar ik houd hem tegen.
'Eerst hier vandaan,' zeg ik gespannen, terwijl ik hem bij zijn schouder vasthoud. We steken snel de grote weg over. Ik tril nog helemaal.
'Jij bent nog niet jarig, mannetje!' sis ik. Ondertussen probeer ik mijn fiets terug te pakken. Dennis laat hem snel los en loopt zo te zien braaf met me mee.
Als de eerste schrik wat zakt, zeg ik:
'Die judoles is natuurlijk allang afgelopen. Daar hoef je niet meer heen te gaan. Wat dééd je in vredesnaam in de winkel en wie was dat andere joch?'
'Kees-Jan! Hij is ook van judo. We wilden gewoon wat snoep kopen. Kees-Jan had geld van huis meegenomen.'
'En die sigaretten dan?'
'Vorige week had Kees-Jan sigaretten bij zich van zijn vader. Die hebben we samen gerookt. Gaaf was dat. Nu was het mijn beurt om sigaretten mee te brengen. Maar pappa rookt niet en ik had ook geen geld. Dus bedachten we een plannetje. Het is helaas mislukt deze keer.'
'Je bent gek, Dennis!' roep ik geschrokken. 'Dit kun je niet menen! Je kunt toch niet zomaar een pakje sigaretten stelen uit de winkel?'
'Zo moeilijk is dat anders niet,' klinkt het laconiek. 'Alleen zijn we deze keer gesnapt door die ouwe taarten die achter ons stonden.'
'Doe je zoiets dan wel vaker?' vraag ik verbaasd.
'Tuurlijk. Het gaat heel makkelijk. Als je bijvoorbeeld een mars wilt hebben en je hebt niet genoeg geld, dan piep je dat samen zo.'
'Maar stelen is slecht.' Ik kom bijna niet meer uit mijn woorden. 'Dan ben je een dief en dieven... nou ja, stel dat ze de politie erbij gehaald hadden?'

Dennis haalt zijn schouders op. Dan ineens blijft hij staan. Hij kijkt schichtig naar me op. Onrustig vindt zijn hand de bel van de fiets. Prompt rinkelt een onduidelijke fietsbel.

'Je moet het niet aan mamma vertellen, hoor.' Zijn toon is nu bezorgd. Hij wipt op zijn tenen en terug. Hij moet nerveus zijn, maar ik krijg de kriebels van zijn onrust.

'Sta nu toch eens stil en blijf met je tengels van die bel af,' bijt ik hem toe.

'Niet zeggen tegen mamma, Cathy...'

'Ik moet het juist wel aan mamma zeggen. Dit kan toch niet.'

Hiermee jaag ik hem de stuipen op het lijf. Dennis blijft staan en kijkt me met angstige ogen aan:

'Ik zal het nooit weer doen, Cathy! Maar zeg het niet tegen mamma. Alsjeblieft. Ik beloof het je, op mijn jongens-erewoord!'

'Nee, daar geloof ik niet in,' houd ik vol. 'Pappa en mamma moeten dit weten.'

'Ze zullen zo verdrietig zijn...'

Ik kijk even naar Dennis. Hij doet soms zo groot en stoer, maar hij is nog maar net negen jaar. Nu is alle stoerheid weg en hij kijkt zo zielig.

'Je bent zeker bang voor straf,' daag ik hem uit.

Dennis reageert er niet op. Hij herhaalt alleen op vlakke toon: 'Nee, Cathy, maar ze zullen verdrietig zijn.'

Ik zie twee tranen over zijn wangen lopen. Dennis huilt. Nu weet ik het even niet meer. Dennis huilt nooit. Hij is ongelofelijk hard voor zichzelf. Hij huilt niet op school als hij straf krijgt. Hij huilt nooit als Marc hem te hardhandig aanpakt. Hij huilde zelfs niet, toen hij laatst gebeten werd door Rik.

Wat moet ik doen? Ik zou willen vragen: 'Dennis, wáárom doe je dan steeds dingen die pappa en mamma verdrietig maken?' Maar ik doe het niet. Het is zo'n stomme logische vraag. Ik hoor in gedachten pappa: 'Het is zijn handicap dat hij dingen doet die hij eigenlijk zelf niet wil.' Ik hoor mamma: 'Dennis is nu eenmaal anders dan andere kinderen, Cathy!' En ineens hoor ik ook tante

Henneke: 'Jij hebt het ook niet makkelijk met zo'n broertje...' Ik zou ook wel een potje kunnen huilen.

Dennis veegt even met zijn mouw langs zijn ogen. Zonder me nog aan te kijken, loopt hij bij me weg, de Sportlaan in. Ik blijf staan en vergeet te roepen dat hij bij me moet blijven. Hij zal wel naar de sporthal gaan. Zijn sporttas moet daar nog liggen. Ik besluit niet op hem te wachten of met hem mee te lopen. Ik wil even alleen zijn, ik ga naar huis.

Als ik op mijn fiets zit, hoor ik dat de fiets een tik opgelopen heeft. Misschien heeft Dennis de fiets laten vallen. Het kleine stukje naar huis luister ik naar het ritme van de tik. En met het ritme mee, vraag ik me af: moet ik het nu wel of niet zeggen tegen pappa en mamma...

HOOFDSTUK 8

A ls ik achterom naar de garage fiets, zie ik dat mamma het licht in de kamer al aan heeft. Het is vroeg donker vandaag. De herfst begint eraan te komen. Ik ril zelfs een beetje in mijn zomerjas. Misschien kunnen mamma en ik zaterdag een nieuwe winterjas voor me gaan kopen, want die oude winterjas doe ik echt niet meer aan. Ik loop er gewoon mee voor gek.

Als ik bijna bij de achterdeur van de garage ben, zie ik dat er bezoek is: opa en oma Kruytman. Opa zit in een hoek van de bank en leest de krant. Maar oma en mamma zitten druk te praten. Het is een vertrouwd plaatje voor me. De laatste weken kwam oma telkens wanneer mamma een school voor Dennis bezocht had. Oma vindt dat ze met ons meeleeft. Oma wil ook dat Dennis in het dorp blijft. Maar oma weet niet wat er op school gebeurt met Dennis. Zij hoeft ook nooit met juf Bonnema te praten. Ik vind dat oma zich te veel met ons bemoeit. Ze weet altijd precies wat mamma allemaal moet zeggen tegen de juf en al die anderen. Ik zou daar alleen maar onzeker van worden. De één zegt dit en oma zegt dat.

Oh nee, mamma huilt! Ik zie het pas als ik de deur van de garage opendoe. Wat vervelend voor mamma. Laat ik er maar extra lang over doen om mijn fiets weg te zetten. Ik hang ook langzaam mijn jas op de kapstok en ga eerst nog naar de wc, zodat ik niet direct de kamer in hoef. Misschien is het toch wel goed dat oma er is?

Als ik even later de kamer inga, heeft mamma zich hersteld. Ik zie geen tranen meer. Gek, er lijkt niets aan de hand. Nu moet ik eerst opa en oma begroeten. Opa is een schat, hij krijgt een dikke zoen op zijn rimpelige wang, maar oma probeer ik met een hand tevreden te stellen.

'Heb je de melk, Cathy?' vraagt mamma me.

'Ja, mamma.'

'Wil je de melk even voor me in de koelkast zetten?' Natuurlijk wil ik dat, dan kan ik meteen door naar mijn kamer. Maar mamma is nog niet klaar met me.

'Cathy, kwam jij net met de fiets thuis?'

'Ja!'

Wat staat me nu weer te wachten.

'Maar je was toch lopend naar de winkel gegaan?' Mamma fronst haar wenkbrauwen. 'Je mopperde nog zo dat Dennis met jouw fiets naar judo was gegaan.'

Ik zie mamma denken: er klopt iets niet.

'Ze heeft haar fiets natuurlijk bij die sporthal opgehaald en is toen doorgefietst naar de winkel. Slim bedacht. Dat zou ik ook hebben gedaan, Cate,' helpt opa mij.

Maar oma kijkt opa streng aan. 'Toe, Gerbrand, laten wij ons er nu niet mee bemoeien.'

'Let op wie het zegt!' flitst het door mijn hoofd. Ik zucht. Wat moet ik tegen mamma zeggen? Waarom moet mamma juist nu met haar vragen komen, nu oma erbij is? Kan ik haar de waarheid vertellen? Zal ze me geloven, ook als Dennis een heel ander verhaal ophangt als hij thuiskomt? 'Vertel eens, Cathy, zo moeilijk is het toch niet? Hoe komt het dat jij op je fiets teruggekomen bent naar huis?' vraagt mamma mij weer.

Ik begin maar ergens. Het zal wel fout gaan, maar wat moet ik anders doen? 'Ik zag Dennis in de winkel.'

'In de winkel?' Mamma staat op en loopt naar de achterkamer. Daar kijkt ze op de grote klok die daar hangt. 'Was de judoles dan al afgelopen?'

'Dat moet je niet aan mij vragen,' reageer ik ontwijkend.

'Hoezo?' bemoeit oma zich ermee.

Ik kijk ongelukkig naar opa. Maar die pakt demonstratief zijn krant. Ik ken dit gebaar. Pappa kan het ook zo doen. Precies zo. Op deze manier laten ze merken dat ze het niet eens zijn met wat

er gebeurt. Mijn handen beginnen klam te worden. Hoe ben ik
aan mijn fiets gekomen? Even goed nadenken...
Mamma neemt weer plaats op de bank. Ze gebaart me dat ik
even naast haar moet komen zitten. 'Kom, Cathy, leg het me nu
eens uit. Ik begrijp het niet helemaal.'

Maar ik wil niet zitten, ik wil niet praten. Ik wil gewoon naar
boven.
'Dennis was bij de winkel. Daar heb ik mijn fiets teruggepakt. Hij
zal zo wel thuiskomen.'
'Dus jij bent vanaf het winkelcentrum op de fiets naar huis gegaan
en je hebt Dennis maar laten lopen,' concludeert mamma.
Voor ik kan protesteren, reageert oma: 'Het is toch wat, Margreet.
Dat meisje denkt echt alleen maar aan zichzelf. Een groot dom
kind. Wil je dat ik of dat pappa Dennis tegemoetloopt?' Oma leest
blijkbaar de boosheid van mijn gezicht, want ze vraagt:
'Ook nog boos op me, Cathy?'
Het is me nog niet eerder opgevallen, maar nu hoor ik het duidelijk: oma praat op dezelfde jennerige toon als Dennis. Daarom
houdt oma van Dennis. Hij lijkt op haar. Dennis lijkt op oma. Dát
is het! En ik mag ze allebei niet.
Boos? Ik ontplof bijna. Waar bemoeit dat mens zich mee? Ik draai
me om en loop weg. Maar mamma stuift op en komt me achter-
na. Ze pakt me stevig bij de armen vast. Het doet pijn. Als een
slappe lappenpop schudt ze me heen en weer.
'Cathy, schaam jij je niet!' roept ze boos. Haar nagels drukken
pijnlijk in mijn vlees. Maar het meest raakt me de woeste blik in
haar ogen. Woest? Wild? Of is het iets anders? Het is zo raar, dat ik
er bijna bang van word.
'Wil jij niet zo lelijk tegen mijn moeder doen! Ik sta het niet toe.'
Ze gilt bijna. 'Als je dat maar goed in je oren knoopt.'
Oma legt haar hand op mijn moeders arm. 'Toe Margreet...
Beheers je. Cathy weet heus wel dat ze niet alleen terug naar huis
had moeten komen,' probeert oma de ruzie te bezweren.

Mamma laat me los en neemt wat afstand. Ze kijkt me verdrietig aan. Ik wil niet meer naar haar kijken. Ik ga naar boven, naar mijn kamer. Maar bij de deur draai ik me nog één keer om.

'U had zeker alleen maar brave kinderen,' gooi ik er ineens tegen oma uit. 'U doet altijd alles zo goed...'

'Cathy!' hoor ik mamma weer. Maar dan zie ik ineens dat de krant iets is gezakt. Opa kijkt niet naar mij, maar ik zie wel zijn gezicht. Hij glimlacht, zomaar... Opa is niet boos op me, dat weet ik zeker. Ik draai me om en ben de kamer uit.

Op de gang staat Dennis. Hij moet alles gehoord hebben, want hij kijkt zo schuldbewust. 'Weten ze het?' is het eerste dat hij vraagt.

'Nee!'

'Waarom heb je het niet gezegd?'

'Nu breekt mijn klomp! Je hebt me wel drie keer gevraagd of ik het alsjeblieft niet aan pappa en mamma wilde vertellen.' Ik sta al met één voet op de trap naar boven. Maar Dennis houdt me tegen.

'Zijn ze toen boos op jou geworden?'

'Ja!' antwoord ik met tegenzin.

'Maar waarom dan?' Zo ken ik Dennis niet. Zou hij deze keer echt spijt hebben van wat hij gedaan heeft?

'Ze zijn boos omdat ik op de fiets teruggekomen ben, zonder jou! Daarom, nou goed..?'

'Nou, dát is toch niet zo erg,' vindt Dennis. Hij loopt voor me langs de kamer in. Nu blijf ik even onder aan de trap zitten. Dennis gaat vast iets doen. Dat gekke broertje van me.

Eerst hoor ik weer die overdreven stem van oma Kruytman en de bromstem van mijn opa. Daarna mamma's heldere stem: 'Dennis, ben jij na judo nog naar het winkelcentrum geweest?'

Maar mamma krijgt niet eens antwoord op haar vraag.

'Cathy kan er niets aan doen,' hoor ik het onlogische antwoord.

Dan is het even stil in de kamer. Ik houd mijn adem in om goed te kunnen horen wat oma tegen mamma zegt. Ik kan het niet volgen. Ze zegt iets over 'druk' of 'dreigen', maar dan hoor ik Dennis weer: 'Ik vind het niet eerlijk als Cathy straf krijgt. Cathy kan er helemaal niets aan doen. Ze is zelfs nog een heel eind met me meegewandeld, tot de Sportlaan zelfs.'

Het doet me goed dat Dennis het voor me opneemt. Even later hoor ik dat oma Dennis bij zich roept. Hij moet haar nog iets over judo vertellen. Ik denk dat het onderwerp 'Cathy' voorbij is. Dan loop ik de trap op.

Op mijn kamer is Rik. Hij is de enige die weet dat ik huilen moet van zulke situaties. Zodra ik alleen ben, komen de waterlanders. Ik kan het niet laten. Rik is mijn kleine vriend. Gek dat zo'n klein beestje me zo kan troosten. Ik haal hem even uit zijn hok. Misschien valt het allemaal wel mee. Dennis is toch voor me opgekomen. Ik geef Rik een extra hamstersnoepje. Daar kan hij zijn tanden goed aan scherpen. Als hij na een poosje weer in zijn hok zit, gaat hij in zijn molen rennen. Ik blijf naar hem zitten kijken. Wat een gek plezier. Ik moet er niet aan denken: heel hard lopen en toch op dezelfde plaats blijven.

Ik doe de radio aan en zoek mijn favoriete zender. Dan ga ik aan mijn bureautje zitten. Misschien kan ik alvast wat aantekeningen maken voor mijn spreekbeurt. Ik weet alleen nog niet of ik het over zeehonden zal hebben. Misschien kan ik toch een ander onderwerp vinden. De meester heeft ons namelijk uitgedaagd een ander onderwerp te kiezen voor onze spreekbeurt. In dat geval krijg je een punt extra, als beloning voor de moeite. Het werkstuk over de zeehonden heb ik vorige week ingeleverd. Nadat ik zaterdags de zeehondencrèche had gezien, was het schrijven van mijn werkstuk een makkie. Ik ben zondagmiddag begonnen met schrijven. Maandagmiddag en maandagavond heb ik alles op de tekstverwerker gezet van pappa. Het ziet er dan veel netter uit, dan wanneer je het met de hand schrijft. Lotte heeft me geholpen bij het versieren van het werkstuk met plaatjes. Het is het grootste werkstuk geworden dat ik ooit gemaakt heb. Ik heb er nota bene een acht voor gekregen. Lotte had voor haar werkstuk een zeven en half. Eindelijk zat ik eens hoger.

Nu wil ik mijn tweede werkstuk maken over India, net als Lotte. Toch ga ik over andere dingen schrijven dan Lotte. Ik wil iets schrijven over het werk van tante Henneke: werken in een leprakolonie. De meester vond het een heel goed onderwerp.

Afgelopen zaterdagavond zijn Lotte en ik bij tante Henneke geweest om de dia's van India te zien. We mochten zelfs een nacht blijven slapen. We sliepen op onze meegenomen matjes in onze eigen slaapzakken. Eerst hebben we met z'n drietjes gegourmet. Daarna hebben Lotte en ik alles afgewassen en afgedroogd. Tante Henneke heeft toen de spulletjes opgeruimd en de dia's bij elkaar gezocht. Daarna zijn we gaan kijken, wel twee uur lang. Tante Henneke heeft ontzettend veel verteld over haar werk en leven in India. Ik vond het erg dat lepra te genezen is met medicijnen, maar dat voor de meeste arme mensen die medicijnen veel te laat komen of dat ze ze helemaal nooit krijgen. We hebben die avond heel wat zieke mensen gezien. Tante Henneke wist van de meeste mensen nog hun naam en bijzonderheden. Het was soms griezelig om te zien hoe lepra het lichaam van mensen aantast en verwoest.

Het was ook leuk om tante Henneke te zien op die dia's. We zagen haar met een rugzak op slingerende bospaadjes. Ze was best een knappe vrouw.

Lotte maakte er zomaar een grapje over: 'Tjonge, Hen, u was vroeger best wel knap. Was daar niet een leuke knappe dokter die wel met u wilde trouwen?'

Ik heb haar nog aangestoten met een "Hè, zulke vragen stel je toch niet?" Maar tante Henneke heeft ons toen zomaar verteld over haar grote liefde.

In het medische centrum werkte een chirurg uit Noorwegen, ver-telde tante Henneke ons: 'We konden goed met elkaar praten. Als je zo in den vreemde bent, dan is een Noor al een goede buur voor een Nederlandse vrouw. In India ga je allebei door voor "westerlingen". Kurt was een grote steun voor me en ik voor hem.'

'Was u verliefd op hem?' vroeg Lotte. Tjonge, ik zou dit soort vra-gen echt niet durven stellen, maar tante Henneke vond het niet zo vreemd als ik.

'Ja, Lotte, ik was hopeloos verliefd op Kurt en hij ook op mij.'

Lotte ging op het puntje van haar stoel zitten. 'Nou en toen?' riep ze opgetogen.

'Toen werd Kurt ziek, heel erg ziek.' Lotte en ik schrokken erg van dit antwoord.

'Niet zo'n ziekte als ik later kreeg, nee, het was een tropische ziekte. Binnen een week is Kurt overleden aan deze ziekte...'

We werden er stil van. Lotte wist geen vragen meer en ik wist niet meer wat ik voelde. Ik hoorde mezelf ineens zeggen: 'Dat was zeker heel erg voor u.'

'Ja lieverd, dat was het.' De stem van tante Henneke klonk vreemd. Gelukkig was het donker in de kamer. Tante Henneke drukte weer op haar knopje en er kwam een nieuwe dia en nog één en nog één. Tot we een dia zagen waar tante Henneke op stond met een aardige, grote blonde man. Ze lachten allebei en hadden hun armen om elkaar heen geslagen.

'Kurt?' vroeg ik zachtjes.

Tante Henneke knikte even. Toen stond ze op en liep voorzichtig met haar rollator weg.

Lotte en ik bleven kijken naar Kurt en tante Henneke. Het was zo apart. We waren alleen met die ene dia.

'Die man is nu dood,' zei Lotte.

'Tante Henneke heeft van hem gehouden,' zei ze daarna. 'Ik wil hem even goed bekijken, vind je dat raar?'

Ze liep naar het scherm toe. Ik vond het niet raar, maar ik liep ook niet met haar mee. Die Kurt paste goed bij tante Henneke. Hij was iets groter dan zij. Het leek me een aardige man. Lotte zat gelukkig alweer, toen tante Henneke terugkwam.

'Zo, nu hebben jullie Kurt en mij lang genoeg bekeken,' zei ze. Er kwam een volgende dia tevoorschijn: Kurt en Henneke samen in een bootje. Weer een dia: samen voor een rommelige hut. Een klein vrouwtje staat tussen hen in.

'Dat is Noah. Het is een van onze laatste tochten geweest. We hebben haar opgehaald en naar het centrum gebracht. Kurt heeft haar nog geopereerd aan haar gezicht. Noahs neus was helemaal weggevreten door de lepra.'

'Kurt was zeker erg aardig,' zei ik.

'Dat was hij zeker, Cathy! Kurt wilde met me trouwen, maar zover is het nooit gekomen.'

'Misschien woonde u dan nu wel in Noorwegen,' bedacht Lotte.

'Nee, dat denk ik niet. Kurt was een geweldige chirurg. Hij heeft hele knappe operaties uitgevoerd onder slechte omstandigheden. In Noorwegen zou Kurt een topchirurg geworden zijn. Maar Kurt hoefde niet rijk te worden en een bekende chirurg te zijn in het westen. Kurt koos ervoor om de armste mensen te dienen met zijn kennis. Hij wilde alleen met me trouwen als ik beloofde samen met hem in India te blijven. Daar waren we het nog niet helemaal over eens.'

'Maar u vond het leven in India toch fijn?' vroeg Lotte verbaasd.

'Dat was het punt ook niet. Maar als je gaat trouwen, dan krijg je misschien ook kinderen. Dáár dacht ik aan. Stel dat we kinderen hadden gekregen...'

Ik had er nooit eerder over nagedacht dat tante Henneke geen kinderen had, terwijl ze zo veel van kinderen hield.

Lotte begreep het niet. 'Hoezo dan? Dacht u dan niet dat kinderen het leven in India ook reuze spannend zouden vinden?' vroeg Lotte.

Maar tante Henneke legde ons uit dat kinderen naar school moeten kunnen gaan. En als ze ouder worden, moeten ze een beroep kunnen leren.

'Wij hebben de kans gehad om arts en fysiotherapeut te worden. Kansen die ik alle kinderen gun. Maar in een leprakolonie kun je niet studeren. Daar is geen universiteit en er zijn geen goede beroepsopleidingen, zoals hier. Hier willen kinderen vaak niet hun best doen om iets te leren, maar geloof me, de meeste kinderen van India zouden dolgraag de kansen willen benutten die jullie hebben.'

'Hebt u er met Kurt over gesproken?' vroeg ik.

Tante Henneke knikte even.

'Ja, en ik denk dat we er best uit zouden zijn gekomen, als niet in die ene week alles veranderd was.'

'Toen Kurt ziek werd...' zei ik zacht.

'Ja, dat is nu meer dan zeven jaar geleden. Ik ben nooit meer iemand tegengekomen die op Kurt leek. Hij was een bijzonder mens. Hij heeft zijn leven gegeven toen hij anderen wilde helpen.'

Ik dacht na over die laatste woorden. Ze kwamen me bekend voor en toch kon ik ze niet plaatsen.

'Zijn leven gegeven?' herhaalde ik.

'Ja!'

'O, ja,' zei ik. 'Dat zeggen ze toch altijd van Jezus?'

'Dat klopt. Kurt was een christen. Niet in woorden, maar in daden. Hij wilde Jezus volgen en hij heeft het gedaan. Zelfs in zijn dood.' Tante Hennekes stem klonk nu heel zacht. 'Jezus heeft zijn leven gegeven voor de mensen die Hij zo graag wilde helpen. Je kunt het niet met elkaar vergelijken, maar toch lijkt voor mij de verdrietige dood van Kurt een beetje op het sterven van Jezus. Beiden stierven temidden van de mensen die ze zo lief hadden en waarvoor ze speciaal waren gekomen, om hen te helpen.'

Ik hoor gestommel op de trap.

'Cathy!' De deur zwaait open. 'We gaan eten.' Het is Dennis.

'Zijn opa en oma er nog?'

'Ja, en pappa is ook thuis. We eten snert. Oma heeft gekookt. Marc...!' Dennis loopt mijn slaapkamer al weer uit om ook Marc te roepen.

Snert! Hoe bedenken ze het. Het is nog niet eens winter. Snert? Nu schrik ik van mezelf. Ik ben mijn gemijmer over tante Henneke, Kurt, over Noah en al die zieke arme mensen wel erg snel vergeten. Misschien moet ik toch een beetje dankbaarder zijn voor die vieze groene drap.

Dan zie ik Rik. Hij bedelt om aandacht. Ik tik even tegen zijn kooitje aan. 'Lief beestje, denk je een beetje aan me?' vraag ik hem.

Ineens staat Dennis weer achter me. Hij heeft me gehoord.

'Praat je tegen die hamster?'

'Soms.'

'Gek. Wie praat er nu tegen zo'n stom beest.' Dennis is het vervelende gedoe van vanmiddag blijkbaar al weer vergeten, maar ik nog niet.

'Het is geen stom beest. Rik is een vriend.'

'Een vriend? Dat beest is eerder een monster. Zo vals als hij mij in mijn vinger gebeten heeft! Ik ga hem nog een keer voeren aan de poes van de buren.'

Het komt er zo vreemd uit bij Dennis, dat ik van schrik op de trap blijf staan. 'Als je dat maar uit je hoofd laat!' sis ik venijnig.

'Wat?' vraagt Marc, die achter ons de trap af komt.

'Die vieze hamster aan de poes geven,' lacht Dennis.

'Oh, dat beest!' zegt Marc onverschillig. 'Van mij mag het!'

Met grote ogen kijk ik mijn broers aan. Dennis en Marc lachen me allebei uit.

HOOFDSTUK 9

'Naar boven klimmen en via de achterkant weer naar beneden. Toe maar, nummer één!' De gymlerares spoort het eerste meisje al aan. Lotte en ik staan niet vooraan. Nee hoor, dit gedoe laten we het liefst over aan de lenigere meisjes van onze klas. We zien ze al omhoog klauteren tegen het wandrek. Ze doen precies wat er gezegd is. Ik vraag me af hoe hoog zo'n rek eigenlijk is. Toch gauw een meter of vier, vijf.

'Ik weet niet of ik dit durf,' hoor ik Lotte naast me. 'Ik heb hoogtevrees. Dit lijkt me supereng.'

'Je moet je gewoon goed vasthouden,' probeer ik haar moed in te spreken, alhoewel deze opdracht mij ook niet erg aanspreekt. Geef mij maar een leuk balspel! Maar nee hoor, we moeten ook in de touwen hangen of in de ringen een vogelnestje maken. We moeten op de kast kunnen springen en daarop enge kunsten vertonen. Wat mij betreft schaffen we al dat soort gymnastiekoefeningen meteen af. Het is niets voor mij. Trouwens ook niet voor Lotte. Daarin zijn we gelukkig elkaars maatjes. We lachen meestal om onze eigen onhandigheid. Misschien worden we daarom bijna nooit gepest om ons gebrek aan lenigheid. De anderen weten het inmiddels wel: van Lotte en Cathy moet je geen hoogstandjes verwachten. Maar als we een keer volleybal spelen, dan worden wij het eerst gekozen.

'Nee Cate, ik ga echt niet naar boven,' zegt Lotte opnieuw met een benauwd stemmetje.

'Zal ik het eerst gaan?'

'Nee, ik ga gauw naar de wc, oké?' Lotte ziet helemaal wit. Ze moet erg bang zijn. Ik knik, maar onze gymjuf merkt dat Lotte de zaal uit wil piepen.

'Lotte, jij bent aan de beurt. Na deze oefening kun je naar de wc.'

Met hangende pootjes komt Lotte terug. Ze begint bij de onderste treden van het wandrek. In gedachten moedig ik haar aan bij elke stap omhoog. Ik weet hoe bang ze is. Maar halverwege klinkt er een onderdrukte snik.

'Ik durf niet verder...'

'Toe, Lotte, je bent er bijna. Nog een klein stukje maar,' roept juf Trees, terwijl ze onder het rek komt staan.

'Ik durf echt niet hoger...'

Lotte houdt zich krampachtig vast aan de spijlen en kijkt ongelukkig naar beneden. Wat de juf ook roept, niets helpt. Dan moet ze even naar het andere rek toe om daar een meisje te helpen.

Verschillende klasgenootjes bemoeien zich er nu mee: 'Toe, Lotte, er is heus niets aan.'

'Je durft het echt wel!'

'Je moet vooral niet naar beneden kijken, Lotte.'

Maar in plaats van verder omhoog te klimmen, begint Lotte te huilen in dat stomme rek. Mijn benen trillen. Zo'n held ben ik ook niet. Na Lotte ben ik aan de beurt.

De gymlerares komt terug bij ons rek en ziet dat Lotte nog steeds in dezelfde positie hangt. Nu begint ze boos te worden.

'Vooruit, Lotte! Geen gezeur meer. Omhoog en je goed vasthouden. Er kan niets gebeuren. Ik blijf hier staan.'

Lotte doet een wanhopige poging om haar angst te overwinnen. Haar handen pakken een hogere sport vast, maar ik zie dat het onbegonnen werk is om Lotte nog hoger te krijgen. Ik voel een vreemde boosheid opkomen. We zijn toch niet allemaal acrobaten. Ze doet het toch niet expres?

Terwijl iedereen Lotte probeert aan te moedigen en de juf haar boze stem af en toe laat horen, bemoei ik me er ook mee. Ik loop naar het klimrek en roep dwars door alle aanmoedigingen heen: 'Kom maar naar beneden, Lotte. Als je niet durft, hóéf je niet helemaal naar boven!'

Het wordt stil. Ik merk het niet eens dat ze allemaal naar me kijken.

'Kap er maar mee, Lotte. Kom maar naar beneden,' roep ik nog een keer.

Juf Trees wordt nu kwaad op mij: 'Wat haal jij je in je hoofd?' roept ze boos. 'Waar bemoei jij je in vredesnaam mee?'

'Lotte is mijn vriendin,' verdedig ik me.

'Nou en? Ben jij daarom ineens de baas hier?'

'Nee, en ik durf ook niet omhoog. Ik zou het ook vreselijk vinden als ik moest huilen van angst en toch van iedereen naar boven moest klimmen.' Ik kijk weer naar Lotte en zeg het nota bene nog een keer zachtjes: 'Het hoeft heus niet als je niet durft!'

Dit gaat de juf te ver. 'Waag het niet, Lotte Wolters! Naar boven jij.' Dan draait ze zich om naar mij. Ze mag me niet, omdat ik de grootste stuntel ben tijdens haar les. Maar zoals haar ogen nu vlammen heb ik nog niet eerder meegemaakt.

'Jij kunt je direct aankleden en je melden bij meester Groen. Je bemoeien met anderen en zelf niets kunnen! Belachelijk gewoon. Eruit, onmiddellijk!'

Lotte hangt een meter of drie boven de grond. Ze ziet vanaf die hoogte hoe ik het gymlokaal word uitgestuurd. Het doet me wel wat, want ik ben er nog nooit uitgestuurd. Hoe is dit nu zomaar gebeurd?

Bij de deur kijk ik nog even naar Lotte. We vangen elkaars blik op. Met mijn hand gebaar ik haar, wat ik met woorden niet meer mag zeggen: Kap ermee, Lotte! Kom uit dat stomme rek!

Met opgetogen stemmen vertellen Lotte en ik het verhaal later aan mamma. We zijn allebei nog verontwaardigd over juf Trees. Maar ondanks onze boosheid hebben we er ook vreselijk om moeten lachen. Steeds zagen we Lotte weer hangen in het rek, terwijl ik er werd uitgestuurd.

Mamma leunt moe tegen de keukenbar. Ze is de laatste tijd niet zo fit. Ze heeft steeds hoofdpijn en last van haar maag. Pappa zei gisteren dat ze naar de huisarts moest gaan, maar ze lachtte en zei: 'Zo ernstig is het niet. Ik pieker alleen te veel en durf maar geen beslissing te nemen, welke school nu het beste is voor Dennis.'

'Je moet er niet zo zwaar aan tillen, Margreet,' zei pappa toen. 'Dennis redt het heus wel, op welke school hij ook komt. Hij laat de kaas niet zo gauw van zijn brood eten.'

'Dat denk jij, maar ik zoek het liefst een plekje waar hij zichzelf niet steeds hoeft te verdedigen, maar positieve ervaringen opdoet. Maar kom, vanavond kruip ik er maar eens om half negen in. Dat zal me goed doen.'

Maar ze is nóg moe en nu is het ook nog druk in huis. Lotte is met mij meegekomen en Dennis heeft Erik meegebracht. Die twee jongens zijn ergens boven aan het spelen. Of ze zijn al weer naar buiten? Marc zit met Sebastiaan te computeren. De hele middag al, want Marc heeft altijd op dinsdagmiddag vrij.

Mamma heeft voor Lotte en mij een glas drinken ingeschonken en er een koekje bij gelegd.

'Was het dan echt zo eng om in het wandrek te klimmen?' vraagt ze. Ze moet haar gedachten er niet helemaal bij hebben, want zo'n vraag lijkt mij overbodig.

'Heel eng,' roept Lotte.

'Doodeng,' gil ik mee.

'Hoe weet jij dat nu?' vraagt mamma kribbig. 'Jij bent niet eens in dat wandrek geweest!'

Lotte en ik krijgen nu de slappe lach, maar mamma kan er de lol niet van inzien.

'Ik heb strafwerk gekregen,' vertel ik mamma zodra we weer normaal kunnen praten. Dat is voor het eerst. 'Ik moet van de meester tweehonderd keer opschrijven: Ik mag me niet bemoeien met anderen...'

Lotte en ik schieten opnieuw in de lach. We kunnen bijna niet gewoon doen. Mamma kijkt ons wat verstoord aan.

'Dat je daar zelfs nog bij kunt lachen. Het lijkt me anders geen pretje, zoveel strafregels schrijven,' zegt ze.

'Ach, ik help haar wel,' zegt Lotte. Ik zie hoe Lotte haar best doet om niet te lachen. We moeten elkaar maar niet aankijken. 'Onze handschriften lijken erg op elkaar. En ik vond het toch wel lief van Cathy, dat ze het zo voor me opnam. Het is allemaal ook wel een beetje mijn schuld.'

Mamma zegt niets. Ze neemt onze lege glazen van de bar en zet ze op het aanrecht. Met een bekend gebaar glijdt haar hand even door haar haar. Terwijl ze met de rug naar ons toe staat, hoor ik haar zeggen: 'Ik weet het allemaal niet meer. Wat doe ik toch verkeerd?'

Lotte en ik kijken elkaar aan. Aan de ene kant kriebelt dat irritante lachje, maar aan de andere kant begrijp ik wel dat ik niet kan blijven lachen. Mamma is in een heel andere stemming dan wij.

'De één moet naar een bijzondere school, de ander krijgt strafwerk en wordt de les uitgestuurd en kan daar nog om lachen ook. Ik zou toch echt gaan denken dat het aan ons ligt.'

'Zullen we naar mijn kamer gaan?' vraag ik Lotte. Wat mamma nu allemaal zegt, lijkt me niet geschikt voor de oren van mijn vriendin. Lotte wipt al van haar kruk. 'Goed idee, Cate!' zegt ze opgewekt.

'Mam, we gaan naar boven, hoor,' zeg ik zo lief mogelijk.

Dan draait mamma zich weer om. 'Maken jullie dan eerst dat strafwerk. Ik vind wel dat jullie het er samen naar gemaakt hebben,' zegt ze streng.

Lotte en ik beloven dat en rennen uitgelaten naar boven.

'Of er is gewoon storm op komst...' hoor ik mamma nog zeggen.

Het hok staat open! Dit is het eerste dat me opvalt, als ik mijn kamer inloop. Riks hok staat open. Ik loop er meteen naar toe. Met mijn vinger doorzoek ik de bak, maar Rik zit niet in zijn kooi. Ik kijk vlug over de grond. Loopt Rik hier ergens? Ik zie niets, alleen wat zaagsel bij de deur.

'Oh Lotte, doe gauw de deur dicht!' roep ik ongerust. 'Rik is uit zijn hok ontsnapt.'

Lotte gooit de deur dicht, maar springt meteen ook op een stoel.
'Cathy, zie je hem al?'
'Wat doe jij gek,' antwoord ik. Maar veel tijd om na te denken over Lotte heb ik niet. Ik lig languit op de grond om onder mijn bed te kunnen kijken. Achter het kastje. Ik gooi de kussens van mijn leeshoekje aan de kant. Een stapel tijdschriften schuif ik opzij, samen met een stapeltje boeken. In een mum van tijd is mijn kamer helemaal overhoop gehaald. Maar nergens zie ik Rik.
'Hij is hier niet meer,' is mijn conclusie. 'Kom dan ook maar van die stoel af, Lotte. Belachelijk gewoon zoals jij je aanstelt. Rik is geen muis, maar een hamster.'
Lotte komt naast me staan en blijft angstig om zich heen kijken.
'Misschien is Rik de deur uitgelopen. De deur stond immers open toen wij hier kwamen. We zouden op de overloop kunnen kijken,' denkt Lotte mee.
'Denk je dat je dát wel durft?' vraag ik spottend.
'Nou zeg, je lijkt juf Trees wel,' verdedigt Lotte zich. 'Ik ben gewoon bang voor zo'n loslopend beest, maar ik zal je helpen zoeken. Als jij hem maar pakt, zodra ik hem zie.'

We zoeken op de overloop. Misschien is Rik via de trap naar de zolder gegaan. We zoeken, ook beneden in de gang. We zoeken op de slaapkamer van pappa en mamma en op de slaapkamer van Dennis, want hun deuren stonden ook open. Dennis is met Erik naar buiten. Bij Marc hoeven we niet te kijken, zijn deur is altijd dicht. We zoeken overal, maar vinden Rik niet.
'Cathy, we moeten ook nog die strafregels schrijven.'
'Je wilt zeker niet meer zoeken,' zeg ik teleurgesteld. 'Maar ik kan toch niet zomaar ophouden te zoeken, terwijl ik Rik nog niet gevonden heb.'
'Zal ik vast gaan schrijven, anders hebben we morgen het strafwerk niet klaar,' biedt Lotte aan. Ik moet natuurlijk blij zijn met haar hulp, maar het strafwerk kan me gestolen worden. Ik moet Rik vinden vóór het donker is. We lopen samen terug naar mijn

kamer. Ik val op mijn bed, terwijl Lotte aan mijn bureau gaat zitten schijven.

'Wat kan er toch gebeurd zijn?' pieker ik hardop. 'Rik kan toch niet zomaar ontsnappen uit zijn kooi? Iemand moet hem opengemaakt hebben.' Ineens schiet me iets te binnen.

'Waar is Dennis?' roep ik. Ik kijk snel uit mijn raam naar het veld. Daar zijn ze. In de verte zie ik Dennis en Erik voetballen.

'Lotte, ik moet naar buiten. Misschien heeft Dennis Rik gepakt. Een paar dagen geleden heeft hij gezegd dat hij Rik wilde voeren aan de poes van de buren.'

Lotte slaat van schrik haar hand voor haar mond. 'Dat meen je niet!' roept ze. 'Dat heeft hij vast gezegd om te klieren, maar hij zal zoiets toch niet echt doen?'

'Ik weet het niet. Maar... als hij het gedaan heeft, dan...' Ik slik even. 'Dan... nou ja dan...' Verder kom ik niet.

'Toe, Cate, ga er maar gauw heen. Ik blijf hier. Ik schrijf die stomme regels wel voor je.'

Als ik naar buiten wil gaan, loop ik mamma tegen het lijf. Ik vertel haar gauw dat Rik ontsnapt is. Ze reageert zoals ik al gedacht had. Ze vindt het geen prettig idee, zo'n loslopende hamster.

'Je moet hem gauw terug zien te vinden, Cathy. Zo'n beest poept overal in huis. Bah, wat vies.'

'We hebben al zeker een half uur overal gekeken, mamma. Van boven naar beneden. Maar hij is nergens. Ik ben bang dat Dennis de kooi opengemaakt heeft en Rik eruit gehaald heeft.'

'Echt weer iets voor jou om dat te denken. Dennis is eerder bang voor je hamster. Vooral sinds die beet in zijn vinger.'

'Daarom juist! Ik ben bang dat Dennis Rik daarom iets heeft aangedaan.'

'Cathy toch,' klinkt het streng. 'Je lijkt wel een detective en je denkt altijd het slechtste van Dennis.'

'Maar hij heeft tegen me gezegd dat hij Rik aan de poes van de buren zou voeren.'

Nu schiet mamma in de lach. 'Daar meent hij niks van. Heus, zoiets geloof je toch niet?' Ze blijft me even aankijken, maar als ik niet antwoord, zegt ze somber:

'Je gelooft het dus wel. Nou ja, ga het hem dan maar vragen. Hij is hier achter op het veld met Erik. Ze zijn de hele middag al aan het voetballen. Dennis heeft, volgens mij, geen tijd gehad voor jouw weglopertje.'

Als Dennis me ziet aankomen over het veld, rent hij vlug naar Erik toe. Ik zie ze smoezen en dat maakt me nog wantrouwiger. Ze lopen me tegemoet. Dennis houdt zijn bal onder de arm en wil me straal voorbij lopen.

Ik houd hem tegen.

'Jou zocht ik!'

Dennis kijkt wat onrustig rond en lacht flauw naar Erik.

'Heb jij Rik uit zijn kooi gehaald?'

'Nee,' klinkt het, te beslist.

'Zeg op, Dennis. Rik is weg. Heb jij Rik uit de kooi gehaald? Het deurtje stond open.'

'Ik moet naar huis, Dennis,' zegt Erik. 'Ik zie je morgen wel weer.' Erik loopt weg. Hij woont aan de andere kant van het veld.

'Hé, blijf staan,' roep ik nog. Maar Erik zwaait alleen even. Weg is weg.

Dennis loopt voor me uit naar huis. Ik haal hem zo weer in.

'Dennis, toe, zeg alsjeblieft waar je Rik gelaten hebt. Ik zal niet boos op je worden.'

'Je bent allang kwaad,' is zijn reactie. 'Ik weet niet waar Rik is. Anders zou ik het heus wel zeggen.'

'Heb jij hem uit zijn kooitje gehaald? Heb jij het deurtje soms opengezet?'

'Je geeft mij altijd de schuld, Cathy. Altijd heb ik het gedaan, volgens jou. Dat is heus niet leuk, hoor.'

Ik blijf even staan. Dennis loopt door naar huis. Hij let niet eens meer op me. Nu twijfel ik toch even. Zou het waar zijn dat ik te slecht van hem denk? Maar dan zie ik weer die grijns waarmee Dennis me verzekerde dat hij Rik zou voeren aan de poes van de buren. Als ik daaraan denk, voel ik me opnieuw boos worden.

HOOFDSTUK 10

'Lotte! Thuiskomen!' We kijken op om te zien wie er roept. Aan de rand van het veld staat Gerben. Hij heeft Tim bij zich. Tim is de hond van de familie Wolters. De vader van Lotte heeft juist met een paar mannen het volleybalnet afgebroken. Lotte en ik hebben er een poosje bij gestaan.

'Tim! Timmie,' roept Lotte enthousiast. 'Kom dan, Tim.'

Gerben laat hem los en als een pijl schiet de hond over het veld naar ons toe. Uitbundig springt de labrador tegen ons op. Hij begroet mij al even hartelijk als Lotte. Gerben komt ook onze kant op lopen.

'Je moet voor mamma naar de winkel,' roept hij, als hij dichterbij is.

'Oh, jammer. Nou ja, Cathy, dan ga ik maar. Maandag is het jouw beurt om mij op te halen. Vergeet je dat niet?'

'Zie ik je het weekend dan niet meer? En kom je ook vanavond niet meer buiten?' Het lijkt me maar niets om Lotte de rest van het weekend niet meer te zien want met Lotte in de buurt hoef ik tenminste niet steeds aan Rik denken.

'We krijgen dit weekend bezoek. Mijn oom en tante komen met hun kinderen. Dat zijn van die kleintjes die erop rekenen dat ik met ze spelletjes ga doen. Ik weet niet of ik nog tijd overhoud voor jou.'

'Hè, saai,' zeur ik.

'Nou, ik zie nog wel. Ik ga nu, hoor. Doei, Cate!'

Gerben lijnt Tim weer aan, want die zou het liefst met Lotte meehollen.

'Hé, Cathy,' zegt hij, zodra we alleen zijn. 'Heb je zin om een eindje met me mee te wandelen? Ik wil met Tim een rondje maken langs de vijver.'

Zin? Ik vind het te gek om door Gerben meegevraagd te worden. Maar zoiets laat ik natuurlijk niet te veel merken.

'Mij best, maar alleen als ik Tim mag vasthouden.'

'Dat mag, als ik jou mag vasthouden,' kaatst Gerben de bal terug. Ik begin te kleuren. Dat is behoorlijk lastig de laatste tijd. Gerben geeft me de riem van Tim. 'Kom, laten we maar gaan.'

Als we een stuk gewandeld hebben, komen we bij de vijver. Gerben laat Tim los en de hond rent voor ons uit.

'Ik hoorde van Lotte dat je hamster ontsnapt is. Heb je hem al teruggevonden?' vraagt Gerben.

Ik kijk hem even ongelukkig aan. Ik was mijn hamster net tien minuten lang vergeten.

'Je bedoelt Rik?'

'Heet je hamster Rik?'

'Ja! Vind je dat soms raar?' vraag ik.

'Nou ja, Rik is een jongensnaam,' meent Gerben. 'Hij is toch niet per ongeluk vernoemt naar een vriendje van je of zo?'

'Hoezo? Ben je soms jaloers?' probeer ik.

'Nee, hoor, maar ik vind "Knabbel" meer een hamsternaam dan Rik.'

'Ik had hem zeker Gerben moeten noemen?'

Gerben begint te lachen. Hij gooit een tak voor zich uit. Tim rent erachteraan.

'Dat zou een betere naam zijn. Maar zoiets gebeurt niet zonder mijn toestemming, Cathy.'

'Puh, jouw toestemming...'

'Nee, serieus,' grijnst Gerben, 'maar oké, je hamster mag mijn naam dragen. Het lijkt me wel wat: een Gerben die door jou geknuffeld wordt. Maar... dan wil ik wel het beest eerst keuren.'

'Ik zal het onthouden voor de volgende, maar deze hamster heet Rik en dat blijft zo.'

'Wilde jouw vriendje ook eerst de hamster keuren, of was hij niet zo kieskeurig?'

'Ach, schiet op jij! Ik heb helemaal geen vriendje.'
'Dat is nog beter!'
Het valt me niet mee om Gerben met een plagerijtje terug te pakken. Ik houd me groot: 'Ik zal je roepen zodra Rik terecht is. Dan kan je zien wat voor prachtig beest het is.' En dan met een zucht: 'Ik hoop alleen dat ik hem heel snel terugvind.'
'Zeg dat wel!' leeft Gerben met me mee.

Tim loopt als een dartelend lam met ons mee. Hij bijt in zijn riem, komt met stokken naar ons toe en hoopt erop dat we met hem gaan spelen. Hij vindt het ook heerlijk om uit de vijver te drinken. Tim plast tegen iedere graspriet die we tegenkomen. Gerben steekt de draak met die aparte hondengewoonte van Tim. Met al zijn gekke opmerkingen maakt Gerben me steeds aan het lachen. Zo vergeet ik toch weer even mijn hamster. Als Tim uitgedold is en weer aangelijnd wordt, snijdt Gerben een serieuzer onderwerp aan: 'Cathy, ik wou je nog iets vragen.'
Mijn hart slaat meteen een slag over. Ik voel iets raars in mijn buik. Zouden dat nu die 'vlinders' zijn?
'We willen vanuit de volleybalvereniging met een nieuw jeugdteam beginnen. Mijn vader heeft me gevraagd of ik hem wil helpen met het samenstellen en het trainen van deze groep. Ik dacht direct aan jou en ook aan Lotte. Zou je er iets voor voelen om mee te doen? We gaan iedere donderdagavond trainen. Met dit team willen we ook aan jeugdwedstrijden meedoen.'
'Dat lijkt me leuk. Nu speel ik alleen maar volleybal in de zomer en af en toe op school.'
'Dus je wilt wel?' Ik hoor aan zijn stem dat hij het echt belangrijk vindt dat ik meedoe. Ik groei van trots.
'Natuurlijk doe ik mee. Tenminste, als het van mijn ouders mag.'
Gerben staat stil. We moeten de weg oversteken, terug naar het veld. 'Misschien weet je nog wel een paar meisjes die mee zouden willen doen. Ze moeten het al wel een beetje kunnen, we zoeken niveau.'

'Tuurlijk, want we willen winnen,' denk ik met hem mee.

Gerben klopt me even op de rug.

'Precies. Dit jeugdteam moet beter zijn dan dat slappe gedoe tijdens het stratenvolleybal. Dat zit me nog steeds dwars. Waardeloos was dat.'

'Het heeft gelukkig niet aan mij gelegen,' vis ik naar een complimentje. We zijn de weg over. Gerben legt zijn hand op mijn schouder.

'Natuurlijk niet. Jij was geweldig. En daarom wil ik jou ook graag in het team hebben. Je hebt talent, Cathy. Ik vind je stukken beter dan Lotte.'

Dit is teveel van het goede. Ik word rood van verlegenheid. Gerben ziet het, hij ziet blijkbaar alles en hij lacht me spontaan uit.

'Die kleur staat je heel goed!'

'Hou op, Gerben,' lach ik mee, maar ik vind mezelf hopeloos.

Jammer, we zijn bijna thuis. Gerben is meegelopen over het veld. We staan nu vlak bij het sluippaadje naar onze achtertuin. Tim heeft het laatste stuk over het veld weer losgelopen. Die hond maakt kilometers! Hij rent van de ene kant van het veld naar de andere. Maar als Gerben hem fluit, reageert Tim direct. Hij stuift op ons af. Eenmaal bij ons snuffelt de hond ongeduldig om ons heen. Hij schijnt iets op het spoor te zijn.

'Tim zoekt tennisballetjes,' legt Gerben uit.

'Tennisballetjes?'

'Je weet dat hier veel gespeeld wordt met honden. Dan gooien de bazen een balletje weg die de hond moet opvangen of halen. Maar er verdwijnen nogal eens balletjes in deze bosjes. Die zijn dan voor onze Timmie. Hij weet er regelmatig eentje te vinden,' vertelt Gerben. 'Ik denk dat hij weer zo'n balletje op het spoor is. Toe maar, Tim, haal de bal,' moedigt Gerben de labrador aan.

Tim verdwijnt al met zijn snuit onder de struiken. Hij baant een weg onder de takken door tot hij helemaal verdwenen is. De struik beweegt heen en weer door de drukte van de hond.

'Let op, hij komt zo tevoorschijn met een bal in zijn bek.'

Dan horen we Tim janken. Hij springt even later tevoorschijn, zonder bal. Onrustig blaft hij naar Gerben. Net alsof hij Gerben iets wil vertellen.

'Lukt het je niet, Timmie? Nou vooruit, dan zal ik ook eens kijken.'

Gerben gaat op zijn knieën en wringt zich ook onder de bosjes. De hond kan niet wachten en probeert hetzelfde te doen, maar dan op een andere plek. Ik moet lachen als ik zie hoe Gerben half onder die struiken ligt. Zijn achterwerk steekt er nog net onderuit, samen met zijn lange benen.

'Zie je het balletje al?' roep ik naar het bewegende bosje.

'Het is geen balletje,' hoor ik Gerben zeggen. Hij krabbelt achterwaarts onder de struik uit. Tim staat alweer naast hem en wil meteen het bosje weer induiken, maar Gerben houdt de hond tegen.

'Cathy.' Gerben is zo ernstig en hij kijkt me niet aan. Er is iets aan de hand. Iets ergs, ik voel het. 'Cathy... er ligt daar een hamster en volgens mij is-ie dood.'

'Nee!' Ik geef een gil en laat me op de grond vallen. Nee, het kan niet waar zijn. Ik moet zelf onder die struik kijken. Ik doe precies wat ik Gerben heb zien doen. Scherpe takken prikken in mijn armen, maar het kan me niets schelen. Als ik onder het bosje ben, zoek ik... Ligt Rik hier echt ergens? Hij is dood, zegt Gerben. Wil ik hem eigenlijk wel zien? Hoe ziet een dode hamster eruit? Ik hoef niet lang te zoeken, want bij de stam zie ik hem liggen. Op zijn zij, opgerold en zo klein. Het snuitje is rood en smerig. Maar aan het vachtje herken ik Rik.

'Zie je hem?' hoor ik Gerben. 'Cathy, is alles goed? Is het Rik? Kom je nu terug?'

Ik voel Gerbens hand even over mijn rug. Net alsof hij me wil laten voelen dat hij het erg vindt. Hij is ongerust, ongerust over mij. Gerben is... ach, laat maar.

Rik is dood. Ik schuifel terug en kom naast Gerben staan. Ik wrijf over mijn pijnlijke arm. 'Het is Rik.'

Tim is weer aangelijnd en staat een potje moeilijk te doen met zijn lijn.

'Wat erg, joh, hij is vast door een poes of zo gepakt,' zegt Gerben. 'Dat kon je zien aan zijn snuit. Oh, Cathy, wat sneu voor je. Zal ik je even naar huis brengen?'

'Dennis heeft het gedaan. Hij wilde Rik aan de poes van de buren voeren,' zeg ik vlak, bijna onverschillig. Maar die woorden zijn er nog niet uit, of ik begin te huilen. Ik wil het helemaal niet. Het is zo kinderachtig. Vreselijk, ik sta te janken waar Gerben bij staat. Wat zal hij nu van me denken? Kinderachtig kind, maar ik kan er niets aan doen. Ik moet wéér aan Dennis denken. Wéér aan die vervelende rotopmerking van hem... Hij heeft het vast gedaan!

Gerben duwt me voor zich uit via het sluippaadje. Zo komen we onze tuin in. Mamma is al aan het koken, maar ze ziet ons toch aankomen. Snel doet ze de schuifdeur voor ons open.

'Sorry, mevrouw Bergsma,' zegt Gerben. 'Ik kom Cathy thuisbrengen. We waren achter op het veld, ziet u...'

Mamma roept geschrokken: 'Cathy, wat is er aan de hand?'

Ik sta eerst alleen maar te snikken en kan niks zeggen. Ze drukt me tegen zich aan. Daardoor ga ik nog harder huilen. Ik moet ophouden. Stoppen!

'We hebben Rik gevonden,' zegt Gerben. 'Of eigenlijk heeft Tim Rik gevonden. Hij ligt achter de tuin. Hij is dood.'

Ik voel hoe mamma schrikt. Ze drukt me nog steviger tegen zich aan en zegt zachtjes: 'Ach, meisje toch, mijn meisje toch.'

Na een poosje veegt mamma mijn tranen weg met een zakdoek.

'Ga maar even op de bank zitten, Cathy, en jij ook Gerben. Ik haal drinken en dan moeten jullie het me even beter uitleggen.'

Ze komt terug met een glas cola voor ons alledrie. Dan vertelt Gerben hoe we Rik gevonden hebben en wat we zagen.

'Hij had bloed aan zijn snuit. Ik denk dat hij door een kat gepakt is. Zo'n beestje is natuurlijk zo gevangen.'

'We hadden geen idee dat hij buiten kon zijn. Ik dacht echt dat die hamster zich ergens in huis had verstopt en vanzelf tevoorschijn zou komen als hij honger kreeg. Dat heb ik ook steeds tegen Cathy gezegd.' Mamma schudt haar hoofd. 'Gepakt door een poes...'

Ineens schrikt ze. Ze kijkt me met grote ogen aan.

'Nee, hè?'

Ik kijk verbaasd op, net als Gerben.

'Nee hè! Je denkt nu toch niet dat Dennis dit heeft gedaan?'

Ik hoor de ondertoon. Ik mag het niet eens dénken van haar. Ik mag Dennis niet verdenken van zoiets slechts. Maar ik kan weinig anders.

'Hij heeft het een paar dagen geleden anders wel tegen me gezegd.'

Mamma staat op van de bank. Ze is niet boos, maar... Ze maakt een wanhopig gebaar naar me.

'Cathy, dit kan echt niet. Je kunt zo niet blijven denken. Marc heeft het ook gezegd en hem verdenk je niet.' Ik zeg niets.

'Ze hebben je alleen maar geplaagd, maar heus, zowel Marc als Dennis zal Rik nooit kwaad willen doen. Het is een heel naar ongeluk en je krijgt zo snel mogelijk een nieuwe hamster van me.'

'Ik wil geen nieuwe hamster.'

Gerben zet zijn lege glas terug op de tafel en staat op. We horen Tim buiten blaffen en misschien vindt hij het ook niet leuk om erbij te zijn. Het is immers net alsof mamma en ik een beetje ruzie krijgen. Bovendien moet Gerben ook eten. Dat is een goede reden om weg te gaan.

'Sorry hoor, maar ik moet gaan. Mag ik misschien achterlangs, mevrouw Bergsma? Dan kan ik Tim weer meenemen.'

'Natuurlijk, Gerben. Ik vind het heel fijn dat je Cathy even thuisgebracht hebt.'

Mamma maakt de schuifdeur voor Gerben open. Gerben loopt

mee, maar voor hij weggaat, zegt hij nog tegen me: 'Hé Cathy, eh... neem toch maar zo gauw mogelijk een nieuwe hamster. Ik weet al wel een leuke naam voor dat beestje.' Hij knipoogt naar me. Dat tovert een klein lachje tevoorschijn. Dan zie ik hoe Gerben en Tim via het sluippaadje uit onze tuin verdwijnen. Ik blijf nog lang staren naar het sluippaadje en mamma maakt het eten verder klaar.

Ik lig al een half uur in mijn bed, maar ik kan niet slapen. Het is stil op mijn kamer, zonder die kleine geluidjes uit de kooi van Rik. Vanavond heeft pappa Dennis nog gevraagd of hij echt niet wist hoe Rik uit zijn kooitje was gekomen. Dennis deed zenuwachtig, maar bleef zeggen dat hij niet wist waar Rik was gebleven. Hoewel mamma het niet leuk vond, zei pappa dat hij het allemaal wel toevallig vond. Misschien denkt pappa toch ook dat Dennis er meer van weet.

Ik heb niets meer tegen Dennis gezegd, sinds ik Rik dood heb gevonden. Echt helemaal niets. Ik heb zo'n hekel aan hem. Ik weet zeker dat hij het gedaan heeft en dat vergeef ik hem nooit meer. Mamma heeft het over een nieuwe hamster. Maar Rik was meer dan een hamster, hij was mijn vriend.

Er gaat een deur open op de overloop. Even later piept mijn deur als hij wordt opengedaan. Er komt iemand mijn slaapkamer binnen, maar ik lig met mijn gezicht naar de muur toe. Ik denk dat ik wel weet wie het is. Ik houd me slapend. Ik hoor vlak achter me geritsel van papier. Dan gaat de deur net zo zachtjes weer dicht als hij ook opengedaan is. Ik wacht. Ook de deur van Dennis' kamer hoor ik dichtgaan. Dan draai ik me op mijn rug. Dennis was hier, maar waarvoor? Me weer vier bonbons brengen zeker! Nou, die hoef ik dus niet!

HOOFDSTUK 11

Z e zijn klaar! Tante Henneke zit bij haar werktafel en legt haar verfkwastje neer. Het laatste kwartier hebben we niets meer tegen elkaar gezegd. Heel precies en met veel geduld heeft tante Henneke haar danseresjes af geschilderd. Ik heb thee gezet voor haar en breng twee kopjes thee naar de werktafel.
'Hè hè,' zegt tante Henneke tevreden. 'De laatste loodjes wegen het zwaarst, maar zo is het goed. Zo vind ik ze mooi.' Het resultaat is prachtig.

Twee dagen geleden was ik hier ook. Ik wilde tante Henneke vertellen dat Rik weg was. Toen was ze al bezig met het verven van de beeldjes, maar ze zijn nog mooier geworden dan toen. Ze is een pietje precies en niet gauw tevreden.
'Nu moeten ze eerst drogen voor ik zeker weet of de kleur echt goed is. Door het drogen kunnen de kleuren soms nog iets veranderen. Ik verwacht dat ze deze keer alleen maar mooier worden. We zullen zien. Nu gaan we eerst maar een kopje thee drinken. Daar heb ik echt zin in. Ik zie nog niet iets lekkers bij de thee liggen?'
'Ik zou ook wel zo'n beeldje willen maken.'
'Dat kan best, Cathy! In de herfstvakantie zouden we een dag met gips kunnen werken. Maar je moet wel een beetje tijd en geduld hebben om er iets moois van te maken, want het is niet makkelijk. Als je het graag wilt, wil ik je best helpen. Daar maken we dan een...?' Tante Henneke wacht even.
'Ja ja, die ken ik,' lach ik, zonder haar zin af te maken. 'Mag Lotte ook komen?'
'Lotte en jij, twee onafscheidelijke vriendinnen. Natúúrlijk mag Lotte ook komen. Waar is ze nu eigenlijk?'

'Met haar ouders naar Groningen. Ik geloof dat haar zus vandaag of morgen jarig is. Gerben is ook meegegaan.'

'Dus jij hebt niemand?' lacht tante Henneke een beetje geheimzinnig.

'Nou, niemand...'

'Ik bedoel: geen Lotte, geen Gerben...' Ze plaagt me. Ik zie het aan die ondeugend twinkelende ogen van haar.

'Niet reageren, joh!' Tante Henneke stapt over op een ander onderwerp. 'Je hebt een prima kopje thee gezet. Een vruchtenthee, proef ik.'

'Ik mocht toch kiezen van u. Deze vind ik het lekkerst. En ik wil er ook wel graag iets lekkers bij,' zeg ik, al vind ik het wel een beetje brutaal klinken. 'Wat zal ik gaan halen?'

'Er moet in het kastje in de keuken nog iets van koeken liggen en een pak kleine marsjes.'

Als ik weer terugkom – ik heb gekozen voor appelkoeken – blijf ik even staan. Ik kijk naar de twee danseresjes die vlak voor me op de tafel staan. Ze hebben nu allebei een houten voetstuk. Het hout glanst. Tante Henneke heeft het hout geschuurd en gelakt met een speciale donkere olie. De vrouwtjes worden gesteund door een vlechtwerk van roestig ijzerdraad. Juist de roestkleur steekt op een bijzondere manier af bij de beeldjes. Het is alsof er een gouden draad geweven is door de kleren van de danseresjes. Het lijken net dansende prinsessen. Alleen... ik zie weer die stomp, dat halve been. Tóch wilde Henneke expres één vrouwtje met maar een half been. Omdat de wereld niet gaaf is. Omdat zoveel mensen iets belangrijks moeten missen in hun leven. Zoals tante Henneke zelf. Zij mist kracht in haar benen. Of zoals de opa van Lotte, hij mist zijn vrouw. Ze is vorig jaar overleden. Els, die bij ons in de klas zit, heeft geen vader meer. Mijn nichtje Carolien heeft suikerziekte.

Ik zie het gezicht van Dennis, terwijl ik mijn kopje thee van de

tafel pak. Ik wil niet aan hem denken, maar het gebeurt toch. Dennis, die mist ook iets. Iets dat bij andere mensen heel normaal aanwezig is. Hij mist een soort 'rood licht' in zijn hoofd. Hij hoort geen 'stop!', als hij beslist niet door moet gaan. Daarom ergert hij andere kinderen en grote mensen. En door dat irritante gedrag mist hij vrienden en heeft hij te veel vijanden. En ikzelf? Wat mis ik eigenlijk? Ik heb een gek broertje die zomaar mijn hamster aan de poes van de buren heeft gegeven. En ik mis Rik...

Toen ik vanochtend opstond, lag er een zwart kartonnen doosje op de grond. Vlak bij mijn bed. Aan de vorm te zien denk ik dat het een doosje geweest is van de pepermunten die pappa in de auto heeft. Er was een zwart papier omheen geplakt. Ik herinnerde me weer dat Dennis nog op mijn kamer geweest was, gisteravond. Hij moet toen dit doosje er neergelegd hebben. Het plakwerk zag er niet netjes uit. Het was vast van Dennis. Hij had zelfs een wit kruisje uitgeknipt en op het doosje geplakt. Ik vond het een beetje luguber. Wat moest ik met dat doosje? Ik heb het ook niet opgepakt, maar wel het briefje dat erbij lag. Ik herkende meteen het handschrift:

Je moet Rik begraafen gaan.
Ik heb een kistje voor hem gemaakt.
van Dennis

In een flits zag ik weer het natte vachtje van Rik. Het bebloede snuitje en die priegelpootjes van mijn hamster. Toen pas bedacht ik met schrik dat ik Rik gewoon onder die struik had laten liggen. Ik had hem niet eens begraven. En nu kwam Dennis ermee. Hij had zelfs een doosje voor Rik gemaakt. Waarom deed Dennis dit? Waarom moest juist hij op dit idee komen?

Ik ben eerst onder de douche gegaan. Ik wilde er niet meer aan denken. Het was raar. Het doosje liet ik liggen waar het lag, midden in mijn kamer. Maar toen ik even later bijna naar school moest, en nog even mijn rekenboek moest pakken, liep ik weer vlak langs het doosje. Toen ben ik erbovenop gaan staan. Niet per ongeluk. Ik ben daar gaan stampen als een gek. Boven op dat doosje. Ik was vreselijk kwaad. Tranen sprongen in mijn ogen. Ik was kwaad op Dennis, nog bozer omdat Rik dood was, en kwaad op mezelf omdat ik Rik niet begraven had. Maar het allerkwaadst was ik vanwege dat idiote zwarte doosje. Ik heb het helemaal platgestampt en het briefje in een zak van mijn broek gefrommeld. Beneden hoorde ik mamma roepen dat we weg moesten. Dennis stond al klaar met zijn fiets. De hele weg naar school heb ik hem niet één keer aangekeken of ook maar iets tegen hem gezegd. En Dennis fietste rustig naast me. Hij hield voor één keer ook zijn mond.

Ik voel even in mijn achterzak. Ja, het briefje zit er nog in.

'Waar zit je vanmiddag met je gedachten, Cathy Bergsma?' hoor ik ineens tante Henneke. Ze is opgestaan en naar de piano gelopen. Ik heb het niet eens gemerkt. De eerste klanken van haar muziek maken me wakker.

'Je zit te dromen, meisje. Toch niet van die aardige volleyballer, hè?'

'Gerben wil met zijn vader een speciaal jeugdteam gaan beginnen,' bedenk ik vlug. Ik pak een kruk en ga bij tante Henneke zitten.

'Toe maar, nog meer volleybalactiviteiten,' zegt tante Henneke, terwijl ze zachtjes doorspeelt.

'Gerben heeft me gevraagd of ik ook mee wil doen. We willen straks zelfs aan jeugdwedstrijden meedoen.'

'Leuk voor je, Cathy. Geniet er maar van en zorg ervoor dat jullie gaan winnen. Dan heeft mijn oliebollen bakken toch nog zin. Ik vind Gerben trouwens ook een leuke jongen, hoor.'

Ik voel dat ik weer moet blozen. Daar moet ik echt iets tegen verzinnen.

'Hij was erbij toen ik Rik dood gevonden heb,' vertel ik. 'Ik moest toen huilen en schaamde me dood dat Gerben dat zag. Maar Gerben deed net alsof het gewoon was.'

'Het is toch ook niet zo erg als iemand je ziet huilen?'

'Ik wilde niet huilen. Ik schaamde me rot voor Gerben.'

'Pas als je eerlijk je tranen laat zien, kunnen anderen reageren op je verdriet. Troost is heel belangrijk. Je hebt het soms hard nodig, bijvoorbeeld als je net een huisdier kwijtgeraakt bent.'

Tante Henneke laat er plagend op volgen: 'Het lijkt me wel prettig om door een jongen als Gerben getroost te worden.'

'In ieder geval stukken beter dan door Dennis,' flap ik eruit.

Tante Henneke kijkt me even aan, maar ze speelt gewoon door, zachtjes. Het lijkt net alsof ze het niet gehoord heeft. Ze hoeft niet eens op de toetsen te letten. Af en toe kijkt ze even mijn kant op en dan kijkt ze weer zomaar wat voor zich uit. Maar ze let bijna niet op de piano zelf.

'Dennis? Wilde hij je ook troosten?' vraagt ze na een poosje.

'Ach, ik weet het allemaal niet meer.'
'Wat weet je niet?'
Dan vertel ik haar hoe Dennis een paar dagen voordat Rik ver-
dwenen was, gezegd heeft dat hij Rik aan de poes van de buren
zou geven.
'En nu denk jij dat hij dat gedaan heeft?' vraagt tante Henneke.
'Natuurlijk heeft hij het gedaan,' roep ik. 'Samen met dat stom-
me ettertje van een Erik, want die was die middag bij Dennis
aan 't spelen.'
'Dat weet je dus zeker. Oké, maar wat weet je dan niet zeker?'
vraagt tante Henneke.
'Nou ja... Dennis heeft een doosje gemaakt. Speciaal om Rik daar-
in te begraven.'
'O ja?'
'Zoiets schreef hij...' Ik zoek in mijn achterzak en haal het briefje
van Dennis tevoorschijn.
'Kijk, leest u het zelf maar. Dit lag bij dat doosje.'
Tante Henneke stopt met piano spelen en leest het briefje.
Ondertussen vertel ik verder.
'Het was een zwart doosje. Hij had er een wit kruisje op geplakt.
Maar ik hoef van hem niet zo'n doosje. Alleen, het meest stomme
vond ik dat ik er zélf niet aan had gedacht om Rik te begraven.
Dat juist Dennis me op dat idee gebracht heeft. Dat kan ik niet
uitstaan. Eerst doodmaken en dan met zo'n plan komen.'
Tante Henneke laat het briefje zakken en blijft me een poosje
aankijken.
'Vanmiddag, toen ik uit school kwam, ben ik direct gaan kijken
onder de struik. Rik lag er nog steeds. Er zaten vliegen op hem. Ik
heb toen met mijn hand een kuiltje gemaakt in de grond. Vlak bij
de stam. Het hoefde niet diep te zijn, want Rik is maar een heel
klein beestje. Toen heb ik Rik voorzichtig in mijn zakdoek gerold
en hem met zand begraven.'

Het is stil. Tante Henneke zegt ook niets. Zo stil was het ook vanmiddag onder die struik. Ik was helemaal alleen met mijn hamster. Ik durf zelfs Hen niet te vertellen dat ik met mijn vinger zelf ook een kruisje getekend heb, naast het zwarte hoopje zand waar Rik onder lag. Ik durf ook niet te zeggen dat ik gebeden heb. Ik weet helemaal niet of er wel een hamsterhemel bestaat. Maar voor het geval die er is, wilde ik God vragen of Rik ook mocht leven.

Een hamsterhemel. Ik stelde me het een beetje voor. Een wereld speciaal voor hamsters. Waar Rik kon rennen, zonder moe te worden. Door velden rennen, en niet in een kooitje met een stom molentje. Leven in een wijde wereld vol geluk en zonder gevaar van poezen die op je loeren of jagen.

'En dat doosje van Dennis...?' vraagt tante Henneke me.

'Dat heb ik kapotgetrapt!'

'Kapot? Maar wáárom dan?'

'Dennis is de moordenaar van Rik. Ik hoef geen doosje van hem.'

'Zo... Dennis is de moordenaar...' zegt tante Henneke me na, maar op een andere toon dan ik. Net alsof zij dat nog niet zo zeker weet. Ze draait zich weer om naar de piano. Haar vingers glijden opnieuw zachtjes over de toetsen. Ze heeft haar ogen gesloten en ik zie dat ze luistert naar de klanken van de piano. Ik herken het melodietje. Tante Henneke zingt er vaak bij, maar nu zingt ze niet. Nee, ze luistert en ik luister mee. Ik denk dat ze niet alleen naar de muziek luistert, maar dat ze ook na-luistert naar mij. Straks draait ze zich weer om en praat ze weer verder met me. Zo gaat dat met haar. Dat vind ik nu niet meer vreemd, maar in het begin wel. Soms zingt tante Henneke zomaar een lied terwijl we aan het praten zijn. Lotte vergeleek het eens met de telefoon. Als die gaat, moet je ook geduld hebben. Nou, ik wacht wel even tot ze klaar is met spelen. Muziek is best mooi als je moet wachten.

'En toch denk je dat Dennis je wilde troosten met dat doosje?' vraagt ze na een poosje.

'Waarom zou hij het anders gemaakt hebben?'

'Cathy, heb je al wel eens met Dennis gepraat over Rik?'

'Nee, ik zeg geen woord meer tegen hem.'

'Dus hij weet alleen maar dat je hem ziet als moordenaar van jouw hamster, en dat je nu heel boos bent op hem.'

'Ja!'

'En toch gaat hij een doosje maken voor Rik? Klopt dat wel helemaal?'

'Nou ja...'

'Niet praten en wel van alles denken over elkaar, dat is meestal niet zo slim.' Tante Henneke komt overeind van haar kruk en loopt voorzichtig met haar rollator naar haar eigen stoel. Ik voel me een beetje ongemakkelijk worden. Er gaat vast iets komen. Dat voel ik. Iets dat ik misschien niet zo leuk zal vinden.

'Dat halve been, hè, daar draait het allemaal om. De les van het halve been: wie dáár op let, ziet de danser niet dansen. Dat doosje en ook zijn briefje zegt mij dat Dennis het heel erg vindt van Rik. Hij heeft verdriet om jouw verdriet. Maar dat zie jij helemaal niet. Je let alleen maar op dat halve been van Dennis. Op zijn handicap, op zijn fouten en zijn vergissingen. Hij heeft iets stoms eruit geflapt, en nu ís je hamster dood en weet je zeker dat hij het gedaan heeft. En je broertje probeert te dansen in het leven. Iets moois te doen. Eigenlijk verdient hij daarvoor een applausje van zijn zus. Ja, kijk nu maar niet zo donker. Je vergeet de mooie kanten van hem. Hij danst een vreemde, een beetje eigenzinnige dans. Hij doet dingen waar hij later spijt van krijgt, maar hij probeert het ook weer goed te maken. Dat laatste wil je niet zien. Je geeft Dennis niet eens meer de kans om te zeggen hoe het eigenlijk gegaan is met Rik. Misschien zit het anders in elkaar dan jij denkt.'

Ik kijk boos voor me uit. Dit deuntje ken ik. Zielige Dennis... maar nu ben ik zielig. Het is toch mijn hamster die dood is, of niet dan?

Tante Henneke kijkt me even aan. 'Cathy, hoe zou Dennis zich

voelen nu jij denkt dat hij de moordenaar – wat een verschrikkelijk naar woord is dat – van jouw lieve hamster is? Heb je enig
idee hoe Dennis dat vindt?'
Ik haal mijn schouders op. 'Kan mij wat schelen.'
'Wie weet hoe verdrietig hij daarover is, terwijl hij stoer blijft
doen. Het wordt tijd dat je met hem gaat praten.'
'Ik zeg nooit meer iets tegen dat joch. Hoe kunt u dat van me vragen!'
Ik begin te huilen van boosheid. Maar deze keer komt er geen
troostende arm om me heen. Ik vind mezelf echt zielig en begrijp
niet dat tante Henneke zulke stomme dingen tegen me zegt. Boos
denk ik: moest haar eens overkomen. Iets of iemand waar ze heel
erg van hield, dat die 'vermoord' werd...
Ik schrik. Kurt... Hield tante Henneke niet van Kurt? Was Kurt niet
doodgegaan door een enge tropische ziekte? En nog hield tante
Henneke van dat land met leprozen en tropische ziekten. Nou
ja... Dat is vast anders...

Nee, ik ben niet gek. Ik praat nooit weer met Dennis... heus niet!
Maar alsof ik niets gezegd heb, gaat tante Henneke gewoon door.
'Je moet met hem gaan praten, Cathy. Vertel hem maar dat je zijn
doosje kapotgetrapt hebt en waarom. Vertel hem ook maar dat hij
je op het idee gebracht heeft om Rik te begraven, en dat je dat
gedaan hebt op jouw manier. En dan...'
'Ik doe het niet.'
'Dan moet je ook nog een poosje luisteren naar wat hij je te vertellen heeft. Je weet nu dat Dennis er iets mee te maken heeft,
alleen weet je niet wat.'
'Ik ga echt niet praten.'
'Kijk maar hoe het straks thuis allemaal gaat,' zegt tante Henneke
rustig, alsof ze weet dat ik het wel ga doen. Ik ben nog nooit eerder zo boos geweest... op tante Henneke zelf.

'Dennis, jongen, na de herfstvakantie gaat het gebeuren,' zegt pappa. We zitten met elkaar aan tafel. Mamma heeft rode ogen en zegt niet zo veel. Marc en ik kijken op als pappa tegen Dennis begint te praten.

'We hebben je opgegeven voor de school in Assen. Die school waar je vanmiddag met mamma geweest bent. Het "Arendsnest". Dat is de school die volgens juf Bonnema het beste voor jou is en dat denken wij nu ook. We verwachten dat je het er goed naar je zin zult hebben, als je eenmaal gewend bent.'

Dennis kijkt niet op.

'Dennis?' vraagt pappa.

'Mij best,' zegt hij onverschillig. Hij schuift met zijn mes een paar gebakken uitjes aan de kant. Die lust hij niet. De rode stukjes paprika liggen al aan de kant.

'Eet een beetje door Dennis, je eet veel te weinig,' zucht mamma. Ze maakt zich zorgen over Dennis.

'Ik ben misselijk. Jij maakt ook zulke vieze macaroni. Ik ga er nog van overgeven,' sputtert Dennis.

Sinds kort krijgt Dennis een medicijn voor zijn ziekte. Dat helpt hem om op school beter te kunnen werken en minder te klieren. Maar van dat pilletje word je in het begin misselijk.

'Dus Dennis zit nog een week bij mij op school,' denk ik hardop.

'Jij blij...' zegt Dennis op sombere toon.

Ik reageer niet. Liever stel ik het me voor hoe het zal zijn zonder Dennis op school. Nog één weekje samen met hem naar school en naar huis fietsen. Nog één week kom ik hem tegen op het plein of in de gang. Vijf dagen nog wachten bij het hek en daarna ben ik van hem af. Dan kan ik gewoon met Lotte heen en weer fietsen. Wauw, ik zou een gat in de lucht moeten springen van blijdschap, maar ik voel helemaal niks. En ik ben zeker niet blij.

Mamma zet de toetjes op tafel. Het lukt haar om Dennis over te halen zijn toetje wel op te eten. Pappa begint mamma over zijn werk te vertellen. Hij moet vaak overwerken de laatste tijd. Marc vraagt mij of Gerben thuis is. Alsof ik dat weet. Wat denkt hij wel?

Nou ja, voor vandaag weet ik het toevallig wel. Gerben is met Lotte en haar familie naar Groningen.

'Waar moet je hem voor hebben?' vraag ik. 'Wil je soms ook leren volleyballen?'

'Ik surf al,' lacht Marc.

'Ja, op Internet,' bemoeit Dennis zich ermee.

'Ik heb Gerben nodig voor een computerspel. Sebastiaan heeft het geleend van een vriend van Gerben. Ik denk dat Gerben wel weet hoe ik dat moet aanpakken.'

'Waarom heb jij mijn doosje kapotgemaakt?' vraagt Dennis ineens. Heeft hij het tegen mij? Gaat het om hét doosje? Vraagt hij dat zomaar hier aan tafel? Ik kijk hem onzeker aan, terwijl ik de laatste lepel vla naar binnen werk.

'Mijn doosje voor Rik. Je hebt het helemaal kapotgemaakt.'

Pappa en mamma zijn ook stil geworden en ze kijken ook mijn kant op. Weten ze er iets van?

'Nou zeg, waarom ik je doosje kapotgemaakt heb? Ik kan jou beter vragen waarom jij Rik vermoord hebt.'

'Cathy,' begint pappa.

Maar voor hij verder kan gaan, reageert Dennis: 'Ik heb Rik niet vermoord. Heus niet, Cathy! Hij viel uit mijn hand toen hij mij beet. Hij viel in het gras en hij was zo snel verdwenen dat ik hem nergens meer kon vinden.' Dennis wrijft in zijn ogen. 'Ik heb nog een poos gezocht, maar Rik was onvindbaar. Erik zei dat hij vanzelf wel terug zou komen. Ik wilde helemaal niet aan Rik komen. Eigenlijk ben ik bang voor hamsters. Maar ik had tegen Erik gezegd dat ik hem best in mijn hand durfde te houden. Erik dacht dat ik het niet meer durfde.'

'En toen moest je natuurlijk zonodig laten zien hoe flink je bent,' val ik uit.

'Ik durfde het ook wel. Alleen was ik bang dat Rik me weer zou bijten. Ik heb hem in mijn trui meegenomen naar buiten, achter in de tuin. Toen ik hem in mijn hand pakte, beet hij me. Hij viel uit mijn hand en was weg. Maar echt... ik heb Rik niet aan de poes

gegeven. Dat zou ik nooit doen en ik vind het heel erg dat hij nu dood is. Daarom heb ik dat doosje gemaakt... en nog iets...'
Dennis kijkt pappa aan.

Ik zie mamma nieuwe tranen wegvegen en pappa heeft zijn hand op die van mamma gelegd. Het is net alsof ze het wisten dat Dennis mij dit vragen zou. Dennis ziet er wit uit.
Marc houdt niet van zulke gesprekken. Hij kijkt ongeduldig van de één naar de ander. 'Zijn we al klaar met eten? Kan ik van tafel?'
'Nee, Marc, we zijn nog niet klaar. Die computer van jou loopt heus niet weg,' zegt pappa.
'Ik heb hier toch niets mee te maken,' protesteert Marc.
Maar pappa vindt het niet goed. Marc moet blijven zitten. Dan kijkt pappa mij aan.
'Wat denk je, Cathy, zou je kunnen geloven wat Dennis je vertelt?'
'Hij liegt anders vaak genoeg,' val ik opnieuw uit. 'Hij liegt zelfs tegen jullie. Hoe moet ik geloven dat het zo gegaan is?'
'Daarom vraag ik het je ook,' zegt pappa. 'Ik weet dat het moeilijk voor je is om Dennis te geloven, maar misschien kun je het toch. Of liever, misschien wil je het opbrengen. Gewoon om Dennis een kans te geven iets goed te maken. Ga maar even naar je kamer, Cathy.'
Word ik naar boven gestuurd?
Pappa stelt me gerust. 'Nee, het is niet voor straf, je moet alleen even op je kamer gaan kijken. En denk dan na of je Dennis misschien toch wilt geloven. Al is het maar voor deze ene keer.'
Pappa zegt het heel rustig. Ik snap er weinig van. Nou ja, dan ga ik maar naar mijn kamer.
Als ik de trap oploop, hoor ik zacht het bekende geluid van Rik: het molentje dat hard ronddraait. Ik gooi met een vaart de deur open en kijk naar het hokje. Daar rent een hamstertje. Het heeft precies dezelfde kleur als Rik. Ik ga op de grond zitten. Het beestje heeft me al opgemerkt, want het rennen stopt. Het hamstertje komt snuffelen. Automatisch doe ik een greep in het potje dat

onder het hok staat. Daar zitten de hamstersnoepjes in. Ja hoor, de hamster reageert. Ik laat hem het snoepje uit mijn handen pakken. Dan kijk ik hoe het beestje er driftig aan begint te knagen. Achter me gaat de deur open.

'Ik heb deze voor je gekocht,' hoor ik Dennis zeggen, 'van mijn eigen zakgeld. Mamma wilde hem ook wel betalen, maar ik wilde hem per se zelf betalen.'

Hij komt naast me zitten voor de kooi. 'Ik heb eerst het hok goed schoongemaakt en vers zaagsel erin gedaan. Dat heb ik goed gedaan, hè?'

Ik zeg niets.

'Ik zag hem vanmiddag in de dierenwinkel in Assen. In de etalage. Precies Rik, vind je niet?'

Ik blijf stil.

'Ga je hem weer Rik noemen?'

Ik blijf strak naar het hok van de hamster kijken en houd mijn lippen stijf op elkaar geklemd.

Dennis buigt iets naar voren, zodat hij mijn gezicht kan zien. 'Cathy?' Hij bedelt bijna of ik iets wil zeggen.

Mijn ogen prikken. In mijn hoofd hoor ik een heleboel stemmen door elkaar. Vooral die van tante Henneke. Zij wilde dat ik ging praten met mijn broertje. Maar ik wil niet praten. Ik wil ook niet huilen. Ik wil alleen maar boos blijven... boos op Dennis.

'Cathy, ga je deze ook Rik noemen?' hoor ik hem weer vragen. Ik moet iets zeggen. Hij wil weten of ik hem nu geloof of niet.

Pappa en mamma zullen het straks van me willen horen. Is het alleen maar een naar ongeluk geweest dat Rik nu dood is, of heeft Dennis Rik aan de poes gevoerd?

Ik weet niet wat ik moet zeggen. Ik wil gewoon niets zeggen. Ook zelfs niet wanneer ik merk dat Dennis opstaat en zacht mijn kamer uitloopt. Pas wanneer ik alleen ben, weet ik een antwoord. Zachtjes zeg ik: 'Er is maar één Rik en die is dood. Deze hamster krijgt een andere naam, maar hij moet eerst nog gekeurd worden.'

HOOFDSTUK 12

E ven goed nadenken: wat waren ook al weer de belangrijkste punten van mijn werkstuk? We krijgen ons werkstuk niet terug om onze spreekbeurt voor te bereiden. De meester wil niet dat we tijdens de spreekbeurt dezelfde dingen gaan zeggen, die we ook al hebben opgeschreven. Of dezelfde illustraties gebruiken als in ons werkstuk. We moeten opnieuw ons voorbereiden en vooral over andere dingen gaan vertellen. Even nadenken: vette voeding was belangrijk. Ik kan nog meer zeggen over de vervuiling van het Wad en misschien valt er over huilers ook nog wel iets meer te vertellen.

Ik hoor voor de tweede keer een vreemd geluid. Het leidt me af. Automatisch kijk ik achterom naar Gerben. Maar mijn nieuwe hamster rent vrolijk in zijn molentje rond. Nee, het geluid komt niet van hem.

Tjonge, er is zo veel gebeurd deze week. Dinsdagmiddag was Rik verdwenen, donderdagmiddag vonden Gerben en ik hem dood achter in de tuin. Gistermiddag heb ik mijn nieuwe hamster gekregen. Vanmorgen heeft Gerben hem goedgekeurd. Gerben is zelfs bij me op mijn kamer geweest, samen met Lotte. Mijn hamster mag 'Gerben' heten.

Wat heb ik vanmorgen gelachen om die Gerben. En Lotte kwam ook al niet meer bij van de lach. Gerben wist zulke malle dingen te bedenken over de band tussen een hamster en een meisje.

Hè, alweer dat geluid. Wat hoor ik toch? Ik sta op om de radio wat zachter te zetten. Het lijkt wel alsof er iemand huilt.

Laat ik direct Gerben eten geven, dan ga ik straks naar Lotte, want die spreekbeurt wil vandaag niet lukken.

Als ik even later naar de badkamer loop om een bakje vers water te halen, hoor ik het geluid weer. Het komt uit de kamer van Dennis. Zou hij soms huilen? Ik breng het bakje terug naar Gerben en ga dan even bij Dennis kijken.

Hij ligt languit op zijn bed. En hij huilt. Ik zie het aan de manier waarop hij zijn gezicht heeft bedekt met zijn arm. Ik ga op het rand van zijn bed zitten en leg mijn hand op zijn rug. Misschien is het weer die vervelende misselijkheid die hem plaagt.

'Voel je je soms niet goed of ben je weer misselijk?'

Maar dan zegt Dennis iets waar ik erg van schrik. Hij mompelt, bijna onverstaanbaar, onder die arm: 'Was ik maar dood. Was ík maar dood in plaats van Rik.'

'Dennis.' Ik weet niet wat ik hoor. 'Hoe kom je daar nu bij?' Hij blijft met zijn rug naar me toe liggen en huilt echt, heel erg. Hier word ik bang van.

'Ach, laat me maar... Niemand houdt van mij, jij ook niet! Ik doe alleen maar stomme dingen. Ik kan net zo goed weggaan of dood zijn.'

Hoe kan dit? Wat zegt Dennis voor afschuwelijke dingen tegen me! Zou het komen...? Nee! Het komt toch niet doordat ik een paar dagen niet tegen hem heb gepraat? Dat ik blijf denken dat hij mijn hamster aan de poes gevoerd heeft. Of dat ik er maar niet toe kan komen tegen hem te zeggen dat ik hem wel wil geloven.

Zijn smalle schouders schokken van het hevige snikken. Komt het door mij dat hij zo moet huilen? Ik voel me helemaal ongelukkig.

'... jij ook niet...'

Hou ik niet van Dennis? Nou, soms... heb ik toch zo'n hekel aan hem, maar of ik helemaal niet van hem hou? Ik heb hem niet bedankt voor dat gekke doosje voor Rik: in plaats daarvan heb ik het zelfs kapotgetrapt. Daardoor denkt Dennis nu vast dat ik niet van hem hou.

En ben ik niet blij dat hij over een week van school af is? Dat ik na de vakantie gewoon met Lotte heen en weer kan fietsen? Nee, dát weet ik zeker: ik ben er niet eens blij om geweest! Maar ik vind het ook niet jammer dat Dennis naar een andere school moet.

De deur gaat open. Mamma komt met een mand wasgoed binnen. Ze kijkt verbaasd. Ze weet hoe koppig ik de laatste paar dagen heb gezwegen tegen Dennis.

'Is er iets?' vraagt ze ongerust.

Ik wil niet herhalen wat Dennis tegen me gezegd heeft. Dat is te afschuwelijk.

'Zijn jullie eindelijk bezig het uit te praten over Rik? Dat zou ik heel mooi vinden, want zo'n misverstand kan niet tussen jullie in blijven staan.'

Dennis en ik zeggen niets en mamma zucht.

'Lieverds, als jullie mij niets vertellen, hoe kan ik jullie dan helpen?'

Dennis snikt af en toe nog en hij draait zich niet om. Ik weet ook niet wat ik tegen mamma moet zeggen.

Dan knielt mamma bij ons neer. Ze draait Dennis voorzichtig om, zodat hij haar ook kan zien. Ze aait mijn broertje over zijn blonde haar en kijkt ons allebei aan.

'Laat ik dan eerst iets zeggen. Iets dat ik allang tegen jullie wilde zeggen. Weet je, we maken allemaal fouten, en dat was zeker zo in de afgelopen periode. Dan gebeuren er zo veel dingen en is iedereen druk bezig met zijn eigen verdriet. Pappa en ik hadden het druk met de Riagg en een goede school zoeken voor Dennis, Cathy met haar verdwenen hamster en Dennis met alle grote veranderingen. Daardoor letten we wat minder goed op elkaar. Het is niet alleen voor jou, Cathy, maar ook voor Dennis en voor ons moeilijk geweest. Maar we kunnen juist nu elkaar een beetje helpen als we elkaar onze fouten willen vergeven. Nou ja...'

Mamma wacht even. Ze slaat haar ogen even neer, voor ze ons weer aankijkt. 'Ik hoop dat jullie ook mij willen vergeven dat ik jullie wel eens vergat in alle drukte. En ik hoop ook dat jullie elkaar willen vergeven.' Dan legt mamma haar handen op mij en Dennis. Ik zie hoe haar ogen glanzen. 'Ik hou zo veel van jullie. Heel erg veel. Vroeger zei mijn moeder altijd: "Ik hou van al mijn kinderen evenveel." Dat kon ik maar moeilijk geloven, want we waren alle vijf zo anders. Maar ik zou het tegen jullie anders willen zeggen: ik voel voor ieder van jullie een eigen, unieke liefde. Jullie zijn alle drie verschillend, maar ik ben zo blij met jullie. Ik zou je niet willen missen, voor geen goud!'

'Hoor je dat, Dennis?' vraag ik met een brok in mijn keel. Ik kijk hem aan. Hij moet niet 'dood willen zijn'. Dat is helemaal niet nodig, mamma houdt immers van hem.

Maar mamma tilt mijn hoofd op: 'Hoor jij het ook, Cathy? Ik houd van je.' Dan trekt ze mij van het bed. Haar armen slaat ze om me heen. Ze drukt me stevig tegen zich aan.

Ik doe mijn ogen dicht. Hoe lang is dit geleden? Het gaat eventjes niet om Dennis, zelfs al ligt Dennis huilend op zijn bed en mag het van mij deze keer best allemaal om hem gaan. Maar juist nu, op dit moment, gaat het om mij. Om mij! Mamma houdt van mij! En ik hou zo veel van mamma. Ik word er warm en blij van. Maar als ik mijn ogen weer opendoe zie ik een donkere, verdrietige blik.

'Dennis, mamma houdt ook van jou.'

'Natuurlijk!' zegt mamma. Maar mamma weet niet waarom ik dit zeg tegen Dennis.

'Ik doe alleen maar stomme dingen,' zegt Dennis. 'Ja toch, Cathy!' klinkt het fel. 'Je zegt het altijd tegen me. Dat ik stom doe en nu moet ik ook nog naar een school voor stomme kinderen. Daar hoor ik bij.'

'Dennis toch!' Mamma schrikt. Ze knielt weer neer bij het bed van Dennis en wil haar arm om Dennis heen slaan. Maar hij komt overeind en drukt die arm weg. Hij let nauwelijks op mamma, maar des te meer op mij.

'Ik doe het nooit goed, Cathy, en jij gelooft me ook niet. Ik maak jouw hamster dood en maak zo'n stom begraafdoosje dat je het helemaal plattrapt.'

'Dennis, dat kwam doordat ik boos was,' roep ik. 'En ik werd zo boos omdat jij eraan dacht om Rik te begraven en ik niet. Ik moet je eigenlijk bedanken, want nu heb ik Rik toch begraven.'

'Maar niet in mijn doosje.'

'Nee, in mijn zakdoek. Dat is ook een goed plekje voor Rik. En jouw doosje was toen al kapot. Dennis, het spijt me echt dat ik je niet wilde geloven. En ik had dat doosje niet kapot moeten maken. Je hebt het zo goed bedoeld, maar ik begreep je niet.'

Klinkt er applaus? Het is net alsof ik tante Hennekes stem hoor, vlak bij me: 'Goed gezegd, Cathy! Je broertje verdient soms applaus van zijn zusje, ook al danst hij een beetje eigenaardig in het leven.'
Ik kijk wat onzeker de kamer in. Is het zo, zoals ik het zeg? Ik vind het erg dat hij verdriet heeft om zijn kapotgetrapte doosje. Mamma knikt me even toe.
'Meen je dat echt?' vraagt Dennis hoopvol.
'Ja!' Er zitten lastige tranen. Ik vecht tegen de laatste twijfel over Dennis. 'Ja, Dennis. Je bedoelde het zo goed en dat heb ik niet willen begrijpen. Ik heb van jou zelfs een nieuwe hamster gekregen en nog wilde ik boos op je blijven. Dat was niet goed van mij.'
Dan schuift Dennis wat dichter naar me toe. Hij legt onhandig zijn arm om me heen. Zoals hij het ook zou doen bij Erik. Mamma blijft stil voor ons zitten.
'Cathy,' begint Dennis opnieuw te snotteren. 'Ik had nooit je hamster moeten pakken. Nooit! Ik vind het zo stom van mezelf. Maar je bent nu toch wel blij met die nieuwe hamster? Hij kostte zeven en een halve euro. Ik krijg drie weken lang geen zakgeld van mamma.' Mamma geeft me een knipoogje.
'Natuurlijk! Ik ben er heel blij mee en hij lijkt zo veel op Rik. Je hebt het goed uitgezocht, alleen... ik noem hem anders.'
'Ja, dat weet ik wel,' juicht Dennis alweer. 'Hij heet geen Rik, maar Gerben. Dat komt omdat jij op Gerben verliefd bent. Nu kun je zelfs vrijen met Gerben.'
Hij lacht dwars door zijn tranen. Zo is Dennis, maar ik schrik.
Er is iets in zijn stem dat me irriteert. Hij gaat toch niet zulke onzin op school rondbazuinen? Daar ben ik dan mooi klaar mee.

Wanneer gaat hij ook alweer naar Assen? Pas over een week?
Ik wil hem meteen waarschuwen dat hij geen stomme dingen
over mij moet vertellen op school, maar ik slik die boze woorden
in. Er is te veel gebeurd vanmiddag. Het is al zo moeilijk geweest.
Ik kijk mamma een beetje ongelukkig aan, terwijl Dennis zijn
neus begint te snuiten en opgelucht naar me lacht.
'Gerben? Dat weet ik goed, hè?'
'Maar Dennis,' zegt mamma, 'zoiets is geheim, hoor! Dat moet je
nooit zomaar aan iemand vertellen. Zelfs niet aan Erik.'
'Nee, dat zou ik ook nooit doen,' zegt Dennis, 'zelfs niet aan Erik!
Op mijn jongens-erewoord, Cathy. Ha, jij kunt mooi vrijen met
Gerben...'

Ik zucht. Ja, ja... Zo is het goed en zo is het weer mis. Die irritatie,
dat hinderen van Dennis, dat storen van hem juist op zo'n mooi
moment... Het zegt mij niets, dat erewoord van hem.
Ach, Dennis, hij zal wel nooit veranderen. Hij kan het moeilijk
leuk en gezellig houden. De sfeer is zo gauw weer bedorven,
omdat hij dat 'stoplicht' mist in zijn hoofd.
Dan zie ik ineens het halve been van één van de danseresjes voor
me. Het is net alsof ik nu pas het geheim van tante Henneke goed
begrijp. Nu pas!
Want het ligt zo dicht bij elkaar: die mooie kant van Dennis en
het vervelende. Het dansen houdt meteen op, zodra je let op het
halve been. Wáár let ik op bij Dennis: op zijn handicap of op hem
zelf? Let ik op die stomme opmerking over Gerben of bijvoorbeeld op zijn hand die de hele tijd zo zachtjes over mijn rug aait?
Je kan niet het dansen en tegelijk het halve been zien. Je moet
steeds kiezen hoe je wilt kijken. De benen van tante Henneke
worden niet meer beter, mijn broertje blijft zoals hij is. Het enige
wat kan veranderen, is mijn manier van kijken. Dát moet tante
Henneke bedoeld hebben met haar beeldjes.

HOOFDSTUK 13

Mijn benen bibberen een beetje als ik naar voren loop. De klas is nog onrustig, want we zijn net binnengekomen. We hebben gym gehad. De meester heeft zijn tafel voor me vrijgemaakt. Ook het bord achter me is schoongemaakt. Je mag tijdens je spreekbeurt dingen op het bord schrijven. Dat kan je zelfs aan een extra punt helpen. Deze keer heb ik niet "drooggezwommen" bij tante Henneke. Daarvoor was er te weinig tijd. Lotte zit schuin voor me. Ze weet hoe zenuwachtig ik ben en steekt haar duim naar me op.

'Cathy,' zegt de meester, 'aan jou de beurt. Je hebt een werkstuk over zeehonden ingeleverd, maar je gaat het niet hebben over zeehonden.'

Hij kijkt de klas in. 'Ik vind het knap dat iemand een spreekbeurt durft te houden over een ander onderwerp dan haar werkstuk. Jij bent de eerste die dit zal doen. Hopelijk volgen er meer. Kan het daar achterin ook wat rustiger worden?'

De meester wacht even tot een paar rumoerige jongens stil zijn. Ik kan mijn hart horen kloppen, zo stil wordt het in de klas.

'Cathy gaat het hebben over "leven met een handicap". Ik ga het niet toelichten, dat zal Cathy zelf doen. Laat maar horen wat je ons wilt vertellen. En jullie nemen,' – hij kijkt opnieuw de klas aan – 'je pen en schrift erbij om vragen en opmerkingen op te schrijven die je straks aan Cathy wilt stellen. Cathy, ga je gang!'

Voor me, op het bureau van de meester, staan de twee danseresjes van tante Henneke. Ik kijk ernaar. Wat zou ik graag willen dat tante Henneke hier was en achter de piano zat. Dat ze zomaar een beetje speelde en ondertussen met ons praatte. Zij kan het allemaal zoveel beter uitleggen dan ik. Er is veel gebeurd de afgelopen week. Ik mocht die twee beeldjes echt niet zomaar meenemen naar school. Ik ben vanmiddag zelfs met de auto gebracht. De beeldjes van tante Henneke zijn in een doos met doeken vervoerd. De meester heeft ze uit de auto van tante Henneke gehaald en zal ze straks terugbrengen naar haar auto.

Uit mijn tas haal ik nog een paar dingen: een folder over het elektrische wagentje van tante Henneke. Dat wagentje wordt deze week bezorgd. Ik heb ook een bril van pappa meegenomen en een oud gehoorapparaat. Van tante Henneke kreeg ik nog een prothese voor de hand, zoals ze die gebruiken in India.

Al die spullen stal ik voor me uit. Dan schrijf ik op het bord: Mijn thema: "Leven met een handicap is als dansen met één been!"

Nu moet ik iets gaan zeggen. Mijn stem doet vreemd als ik begin.

'Als je aan een handicap denkt, dan denk je heel gauw aan dingen van je lichaam die niet goed werken.' Ik pak de bril en het gehoorapparaat en houd ze omhoog.

'Je kunt slechtziend of slechthorend zijn, blind, doof of verlamd. Het kan zijn dat je maar één been hebt of dat je geen kracht hebt in je armen.

Maar eigenlijk betekent "handicap" een belemmering of hindernis. Volgens het woordenboek heeft iemand met een handicap een nadelige positie ten opzichte van anderen. Nou ja, zo staat het er.'

De bibbers in mijn benen zijn weg. Ik kijk de klas aan. Mijn spreekbeurt moet lukken. Ze moeten vooral begrijpen wat ik zelf net geleerd heb.

'Ik vind armoede ook een soort handicap,' zegt Pim met een overslaande stem. Hij buigt meteen zijn hoofd en drukt de bril terug op zijn neus.

'En verlegenheid, dat zal ook wel een handicap zijn!' spot Marieke met Pim. De klas schiet in de lach, want iedereen weet hoe verlegen Pim is. Maar Bouke, de vriend van Pim, reageert op de opmerking van Marieke: 'En altijd het "haantje de voorste" willen zijn, zou je dat ook een handicap kunnen noemen, Cathy?'

De meester staat op het punt om op te staan en in te grijpen. De klas wordt iets te onrustig, maar ik schrijf onverstoorbaar op het bord de letters 'ADHD' en krijg de aandacht weer.

'Er zijn dus meer handicaps dan je zo zou denken,' ga ik door. 'Een slechte gezondheid, armoede, verlegenheid – het kan allemaal een handicap zijn. Eigenlijk mist iedereen wel iets wat hij graag zou willen hebben of zelfs ook echt nodig heeft. Bijna niemand heeft alles in zijn leven.'

Ik word even stil, want nu komt het moeilijkste. Hoe zei tante Henneke het ook al weer: Als je een ander iets uitlegt over je verdriet, dan ga je anders leren denken over dat verdriet. Door het aan een ander uit te leggen, ga je er zelf ook iets meer van begrijpen.

'Zelfs dat je altijd het "haantje de voorste" bent, kan inderdaad een handicap zijn. Mijn broertje bijvoorbeeld is zo'n "haantje". Jullie weten zelf wel hoe vaak Dennis op school straf krijgt, omdat hij weer iemand pest of zich ergens mee bemoeit. En toch kan Dennis hier zelf niet altijd iets aan doen. Het is beslist geen pestjoch, al lijkt het soms wel zo. Hij kan alleen niet zo makkelijk met zichzelf omgaan en met bepaalde situaties. Hij is anders dan anderen.'

Het is heel erg stil geworden in de klas. Iedereen luistert. De meester knikt me even toe.

'Mijn broertje heeft ADHD. Deze letters staan voor een paar Engelse woorden. Ik zal ze even opschrijven: *Attention Defecit Hyperactivity Disorder*. Na de vakantie gaat Dennis naar een andere school. ADHD is een hindernis, een belemmering voor Dennis. Vooral bij het leren. Hij kan zich maar heel moeilijk concentreren in de klas. Daardoor gaat hij eerder klieren of iets anders doen dan een ander kind. Maar ook bij zoiets belangrijks als vrienden maken en omgaan met andere mensen, mist mijn broertje iets. Een soort "Ho! Nu niet verder gaan, want anders komen er problemen".'

Kinderen als Dennis doen vaak dingen zonder eerst na te denken. Daardoor doen ze soms iets waar ze later erg spijt van krijgen. Wat de meeste kinderen uit zichzelf wel weten, moeten kinderen met ADHD juist heel bewust aanleren. Als je iets wilt doen: STOP, denk na en dan pas doen!'

Achter in de klas steekt Eline haar hand op. Nu moet ik 'ja!' zeggen.
'Mijn neefje heeft ook ADHD. Hij is heel erg druk. Echt heel druk. Mijn moeder zei laatst dat ze allang overspannen zou zijn als zij zo'n kind zou hebben.'
'Dat vind ik een stomme opmerking,' zegt Sonja. 'Zo'n kind kan er zelf niet zoveel aan doen dat hij zo druk is. Dat is juist zijn handicap. Mijn buurmeisje heeft ook ADHD. Ze is wel druk en kan ook moeilijk leren, maar ze is heel lief.'
Alle ogen zijn weer op mij gericht. Eigenlijk moet ik nu het moeilijkste zeggen van de hele spreekbeurt.
'Toch begrijp ik wel wat Elines moeder bedoelt. Het is thuis ook best wel eens moeilijk met Dennis. Want als je broertje ADHD heeft, dan ben je eigenlijk zelf ook een beetje gehandicapt. Je moet er altijd rekening mee houden en...' Ik wacht even. Er zit een rare kriebel in mijn keel. 'Je moet leren niet alleen op de vervelende dingen van je broertje te letten. Want er gebeurt altijd wel iets als Dennis in de buurt is, en lang niet altijd iets leuks. Eigenlijk is het hele gezin een beetje gehandicapt...'
Ik kuch eventjes. Zouden ze het begrijpen?
'Maar mijn thema is niet ADHD of het opsommen van allemaal handicaps. Ik denk dat we allemaal wel iets hebben. De één mist dit en de ander mist dat. Mijn thema heb ik op het bord geschreven. Ik wil graag iets vertellen over het kijken naar een handicap van jezelf of van andere mensen. Ik denk dat heel veel mensen en kinderen moeten leven met een handicap.'
Ik pak de twee danseresjes van tafel. Mijn handen trillen een beetje, maar dat ziet gelukkig niemand.

'Kijk, hier heb ik twee beeldjes. Twee danseresjes. Ze zijn gemaakt door mijn buurvrouw. Zij kan niet meer lopen. Jullie moeten ze straks wat beter komen bekijken. Ik zal je laten zien dat ze echt kunnen dansen. Maar eerst zou ik jullie iets willen vragen. Wat denk je? Zou je kunnen dansen met één been?'